CW00670470

LE SALAIRE
DE LA PEUR

GEORGES ARNAUD

LE SALAIRE DE LA PEUR

JULLIARD

ISBN 2-266-02302-0

A mon vieux Georges.
† 1941

AVERTISSEMENT

Les apaches démodés se font tatouer au front le mot « Fatalitas ». Mais le fatum *latin n'a rien à voir dans cette hideuse et aveugle malchance par quoi ils aiment à expliquer leurs déboires. Le destin sait ce qu'il fait. Il est même méticuleux.*

Un tropical tramp, *un jour ou l'autre, perd une jambe dans la gueule d'un requin ; contracte la lèpre ; vêtu d'un scaphandre, cherche des diamants dans un rio par six mètres de fond, avec, aux postes de sécurité, un équipier douteux. Ce n'est pas au hasard qu'on entre dans ces professions. Que de gens à qui une telle chose ne saurait arriver !*

Le destin prend son homme au berceau.

A chacun de ces hommes est souvent ménagé un tête-à-tête avec sa propre mort. Elle porte des visages divers. Insidieuse, morne et terne aux jours de maladie et de misère ; muette, fluide aussi ; ou bien hurlante et ostentatoire. C'est, la nuit, un triangle de ciel où il n'y a pas d'étoiles. C'est, aux bords d'une rivière claire comme celles d'Europe, le parasite mortel qui rongera les chairs. Peut-être autre chose. Le sujet de ce livre, par exemple.

Ce n'est pas toujours la mort qui gagne. Mais, dès qu'elle redevient présente, le mot « là-bas » prend sa valeur. Oubliés, évanouis, gens et choses de là-bas : d'avant. Sur eux, les portes sont tirées.

Alors, sans liens extérieurs, sans décors — du moins s'il en existe, n'ont-ils pas d'importance —, la tragédie se noue entre l'homme et sa peur que, fuyant sa prison, il emmène avec lui, volens, nolens ; *en bon français :* Invitus invitam… *Pour l'exprimer, les tramps ont rejeté les vrais mots ; ils emploient le blasphème et l'injure. De même, ils refusent de penser ; leur âme ne les intéresse pas.*

Parmi eux, l'homme intelligent, c'est celui qui tire au bon moment. La sensibilité a place au volant d'un camion. Il y a aussi un lyrisme de la pioche et de la battée.

A ras de terre, ils vivent sous le soleil du tropique, d'une existence virile et triviale d'ombre chinoise. Ils ont dépouillé jusqu'à la sécheresse le faux pittoresque des prestiges empruntés.

Telle est la poétique du risque salarié.

G. A.

Qu'on ne cherche pas dans ce livre cette exactitude géographique qui n'est jamais qu'un leurre : le Guatemala, par exemple, n'existe pas. Je le sais, j'y ai vécu.

G. A.

CINQ, dix coups de téléphone au bureau du grand boss dans les baraques en bois du camp de Las Piedras. Des employés énervés, bousculés, circulaient à toute vitesse d'une pièce à l'autre, et les portes mobiles montées sur ressorts rebondissaient.

— Oui... Oui... Cette nuit... Non, je n'y suis pas encore allé moi-même. J'ai été prévenu trop tard. Rynner est dans un état effrayant, il a subi une grosse commotion nerveuse. Naturellement, sa responsabilité personnelle est à couvert. La commission d'enquête ? Sans doute mercredi. La déposition des Indiens ? Il n'y en a plus qu'un, l'autre était mort quand l'ambulance est arrivée. L'autre... Sa déposition sera conforme à celle de Rynner, naturellement : ce qu'elle doit être, sans plus. Quoi, la fatalité n'existe pas ? Bien sûr. Oui, pour la presse. Ils vont déjà nous chatouiller suffisamment les oreilles. D'ailleurs il vous est plus facile qu'à nous de faire le nécessaire... Treize Indiens tués, vous pensez... Ils n'ont pas fini de nous emmerder avec les satanées commissions de sécurité. Les pensions ? Le moins possible, naturellement. Je vous rappellerai cet après-midi.

Sale, sale histoire. D'un côté, il valait bien mieux que Rynner fût touché, et restât encore à moitié idiot. Complètement indemne, ç'aurait été accablant pour lui, et pour la compagnie par contrecoup.

— Téléphone de Toronto pour Mr. Rynner, boss. Qu'est-ce que je réponds ?

— Qui est-ce ?

— Sa mère.

— Un récit succinct de l'accident, et le bulletin d'hôpital ; elle nous emmerde. Nous ne sommes pas un institut pour la consolation des vieillards, nous sommes la Crude and Oil Limited. Qu'elle laisse son numéro ; s'il meurt, on la rappellera.

Le secrétaire du patron n'aimait pas prendre d'initiatives. Un récit succinct, facile à dire. C'était encore trop frais : ça remontait à la veille.

Cette nuit-là, comme toutes les nuits depuis bientôt trois mois...

*
* *

Cette nuit-là, au milieu de la plaine au pétrole de Zulaco, l'ombre est jalonnée de silhouettes élégantes : les taladros, les tours de forage, illuminées de guirlandes d'ampoules électriques.

L'équipe du Seize est au travail. Un Diesel alimente l'installation en lumière, en énergie électrique, en air comprimé. Tout le long des poutrelles, sur une hauteur de quinze mètres, des points lumineux, quelques projecteurs sont accrochés. Quand le régime du Diesel diminue, la lumière baisse. Au centre, vertical, tournant sans fin comme une vis, un tube de sondage s'enfonce peu à peu dans la boue grasse du puits qu'alimentent en eau deux camions-citernes. A cent tours minute, quinze mètres de forage s'effectuent en vingt minutes.

Casqués d'aluminium, des métis, leur torse nu brille de sueur, vont et viennent autour du monstre qu'ils alimentent en eau, en mazout. Toutes les fois qu'une longueur de tube est entièrement enfoncée en terre, le mécanicien débraie. Les installations de la Crude au derrick Seize sont vétustes. C'est en tirant à bras sur des palans que les quinze hommes du puits hissent à la verticale un nouvel élément de canalisation. La longue tige, de toute la hauteur du taladro, s'élève, oscillante, trébuchante. Un acrobate armé d'un bout de corde et d'une clef spéciale, à très grande ouverture, la croche au vol, s'arcboute sur les talons et la présente à l'embouchure filetée qui émerge à peine du sol. Son aide maintient le tube dans cette position, tandis que l'homme à la clef s'élance dans la charpente, détache de leur proie d'acier les crochets du palan. Prudemment, ceux qui d'en bas tiraient sur les cordes s'écartent. Là-haut, l'Indien est seul pour lutter avec le métal glissant du tube. L'étreignant à pleins bras sur sa poitrine, il le déplace dans un effort de tout le corps. La corde avec laquelle il s'est attaché à l'ossature du taladro lui scie les côtes, le diaphragme, la taille. S'il rate son coup, il sera écrasé entre la charpente et la tige de fer de la sonde. Encore un effort. Le tube est en place. Le mécanicien tire la manette qui commande le dispositif d'enclenchement. Un déclic. Pris dans les mâchoires dont est muni le volant d'entraînement, le tube de forage commence déjà à se visser à la suite de ceux qui sont déjà en place. A soixante, quatre-vingts, cent tours minute, il entre à son tour dans le sol, tandis que l'Indien qui l'a mis en place se détache et redescend. Pas de temps à perdre pour tout ça : il y a une prime de rapidité qui se calcule d'après le nombre de tubes que l'équipe a réussi à mettre en place pendant ses dix heures de travail.

La sueur, parfois le sang de ces hommes sont nécessaires à la marche de la machine. Toute la nuit à avoir chaud et sommeil, à attendre le jour.

De vingt minutes en vingt minutes, lors de chaque raccordement de tube, l'ingénieur chef de chantier prélève un échantillon de boue. Il l'examine à la lueur d'un projecteur, en apprécie la consistance et la densité. Au besoin, il l'analyse à l'aide de quelques instruments de fortune disposés sur l'établi du mécanicien. La moindre erreur est dangereuse pour l'issue du travail. Si le percement s'effectue en terrain trop sec, le tube foreur va chauffer et risque de se briser avec la redoutable netteté de l'acier. Les morceaux lancés à travers l'espace par la tension du métal et la rotation du moteur tueront des hommes et peuvent même renverser le taladro. Si au contraire la boue est trop liquide, et que la sonde traverse une poche avant d'atteindre le gisement, une bulle de gaz incendiaire remontera dans un gigantesque gargouillement, risquant de jeter à bas la tour, de s'enflammer ensuite à la moindre étincelle, aux bougies du compresseur, à une particule de métal incandescente arrachée par frottement, à n'importe quoi. Alors...

Rynner, le chef de chantier, est inquiet. Quelque chose ne tourne pas rond ce soir. Déjà, à deux reprises, des bulles légères se sont formées dans la cuvette de perforation. Il n'a pas osé en approcher une flamme vive ; il lui a semblé qu'elles dégageaient une odeur de pétrole. Mais l'alizé, qui balaye la plaine, traîne avec lui la senteur douceâtre de l'huile. Allez donc faire la différence.

Pas loin, le brûleur d'Anaco, le plus puissant du monde, brandit au-dessus de la plaine une torche qui cuivre les ombres. Rynner voudrait bien voir revenir le second camion-citerne qui est parti voilà déjà un bon moment, pour faire le plein au riachuelo voisin. Celui qui alimente le taladro est presque vide. Rynner ne se résout pas à interrompre le travail. Sur la prime de rendement, c'est lui qui touche la part du lion. Il monte dans sa pick-up (1) et s'en va à la recherche du camion qu'il attend.

A cause de l'horizon qui partout, tout autour, l'encercle à une hauteur uniforme, la plaine semble parfaitement plate. En réalité, elle est extrêmement vallonnée. Une fois hors de vue les lumières supérieures du derrick, c'est difficile de trouver son chemin. Le feu d'Anaco, trop intense et diffus à la fois, dont on ne voit que les reflets dans le ciel, constitue un mauvais repère. Il n'y a que les traces. Justement, à l'embranchement de deux pistes, les empreintes de roues divergent brusquement. Rynner arrête sa voiture, descend, et, à la lumière des phares, essaye de s'y reconnaître. Difficile : les deux camions qui font le service de l'eau sont du même modèle, chaussés des mêmes pneus. Les deux séries de traces semblent aussi fraîches l'une que l'autre.

— Qu'est-ce qu'il a bien pu foutre, cet imbécile ? La bonne piste, c'est à gauche.

L'ingénieur s'y engage et la suit pendant un temps qui lui semble très long : c'est la nuit et il est inquiet. Il arrive au poste d'eau. Le camion-citerne

(1) Camionnette à plateau portant environ 750 kg.

devrait être là. Debout à côté de la camionnette, il perce la nuit du faisceau de son phare mobile. Il ne voit rien, pas même la pompe dont pourtant il entend haleter le moteur. Il jure entre ses dents.

La chaleur a encore augmenté. Pourtant sa chemise trempée de sueur lui glace le dos au souffle de l'alizé. C'est un vent tiède, l'alizé... Il allume une cigarette et regarde l'heure. L'eau doit arriver au taladro avant vingt minutes.

Remonté dans sa voiture, Rynner la remet en marche et recommence à chercher, avec parfois un arrêt pour écouter. Le bruit de la pompe lui parvient toujours. La piste suit maintenant le cours du ruisseau ; le sol est mauvais, les roues patinent. A un moment il se trouve coincé. Une bosse de sable durci racle le fond du radiateur, sous le museau de la pick-up. Le moteur a calé. En arrière, les roues s'enfoncent à mi-moyeu. Heureusement qu'il y a la pelle, une pelle large et robuste que des courroies retiennent en place le long de la porte de gauche. L'homme s'attaque d'abord à l'obstacle de l'avant. Puis il creuse sous chacune des quatre roues une sorte de plan incliné. Il bourre le fond d'herbe sèche arrachée à poignées tout autour de lui. Mal habitué à ce genre de travail, il y met trop de précipitation, s'y prend mal, transpire de plus en plus. Ça n'avance pas. Quand il repart, dix minutes ont passé. Cent mètres plus loin, le camion arrive droit sur lui, s'arrête. Rynner saute sur le marchepied, passe la tête à l'intérieur de la cabine.

— Vite, vite, il n'y a presque plus d'eau là-bas.

Le chauffeur hoche la tête et repart sans répondre. Lui aussi a la sueur qui lui coule le long des tempes.

— Mais qu'est-ce qu'il y a ce soir à faire si chaud, se dit l'ingénieur.

Il a repris le volant. Devant lui, le camion, plus lourd et que son poids empêche de patiner, roule trop vite pour qu'il puisse le suivre. Du reste, un nuage de poussière, arrachée du sol, aveugle Rynner et lui sèche la gorge. Il s'arrête pour laisser l'autre prendre du champ. Maintenant plus calme, il sort de sa poche une autre Camel, l'allume, en tire de longues bouffées tranquilles. Contact coupé, machinalement, il tâtonne le long du tableau, trouve un bouton, le tourne de gauche à droite. La radio ronronne un instant. C'est le poste de Las Piedras, qui émet dans un rayon de trois cents miles à partir de la falaise qui surplombe le port.

— Ah ! Ah ! Ah ! clame un chanteur nègre qui passait en attraction au club de la Crude trois semaines auparavant.

Ah ! Ah ! Ah ! J'ai du mal à retenir
Le rire
Qui me prend à voir
De quoi est faite ma vie noire.
Ah ! Ah ! Ah !...

La radio s'est tue, éteinte d'un seul coup. Le sale lourd satané silence de la plaine prend possession de la nuit. Rynner appuie sur le démarreur, une fois, deux. Rien. Pas de courant. L'aiguille de l'ampèremètre, éclairé au bout de la cigarette, ne réagit pas. Le Yankee se sent étranger, pas à sa place dans ce désert. L'hostilité des choses lui fait peur.

Il sort, soulève le capot du mauvais côté ; trouve enfin la batterie ; s'éclaire de sa lampe électrique pour en vérifier les câbles et les connexions. Tout semble pourtant normal. Il met le contact directement des bornes à la dynamo du starter, gratte le métal. Rien. Pas une étincelle.

Il commence à s'énerver singulièrement, oubliant tout à fait qu'il est un ingénieur diplômé et expérimenté, pour qui les moteurs Ford et leur équipement électrique ne sont que jeux d'enfants : « Fucking job ».

Ah ! rentrer chez soi, être encore à l'âge de l'école le jeudi matin, bouder ! Maussade, avec des gestes d'une violence absurde et mal contenue, il cherche la rupture de contact. Plus de vingt minutes se passent. C'était pourtant simple : le câble est cassé à l'intérieur de sa gaine de caoutchouc. Et naturellement, pas de rechange dans le coffre. Il claque la porte d'un coup de pied, reste un instant immobile, puis, se penchant dans l'encadrement de la vitre baissée, prend sur le siège, à côté de sa place, ses cigarettes et ses allumettes. Le faisceau de la lampe qu'il a accrochée à sa ceinture se balance devant lui. Il s'enfonce dans la nuit.

Sept kilomètres de sable à parcourir. Bah, le deuxième camion ne va pas tarder à venir à son tour faire le plein. Ce qu'il y a d'empoisonnant, c'est de toujours regarder à ses pieds pour voir si on ne perd pas son chemin. Sans ça, cette promenade nocturne ne serait pas tellement désagréable. Il respire à pleins poumons, face au vent. A chaque instant des étoiles filantes sillonnent le ciel. S'il fallait faire un vœu à chacune, ce serait éreintant. Il avance, avance, se fiant à sa montre pour évaluer le chemin déjà parcouru, et s'étonne de ne voir ni les lumières du taladro ni les phares du second camion. Des inquiétudes, des scrupules lui traversent l'esprit. Les indigènes sont seuls sur le chantier. Le contremaître a reçu des instructions précises, mais pourvu qu'ils n'aillent pas faire de blagues avec le réglage du débit... Il est vrai que ce type est rompu à la routine du forage. Tout de même, c'est imprudent.

Les reflets de la flamme d'Anaco illuminent le terrain, mais c'est une lumière qui n'est pas rassurante. Quant au taladro, il est planté en plein creux ; on le voit quand on a le nez dessus.

L'Américain s'arrête. Tout d'un coup il n'y a plus de traces devant lui. Derrière non plus, d'ailleurs : un homme ne pèse pas assez lourd pour laisser des marques dans cette croûte de sable durci. Pour avoir regardé en l'air, le voilà bêtement perdu. Il s'assied un instant et réfléchit. Une lueur monstrueuse lui révèle brusquement qu'il n'était pas tellement loin de son but ; le taladro vient de sauter.

La lueur diminue, mais ne cesse pas. Dans le sillage de l'explosion, des éclats de fer passent au-dessus de sa tête en sifflant, lui rappellent la guerre. Terrifié de ce qui est arrivé — il lui semble que c'est par sa faute — Rynner se met à courir. Seul le hasard fait que c'est droit devant lui ; sa peur est certes plus forte que son désir, que son angoisse de voir. Il court ; quelque chose le frappe à la poitrine ; il trébuche dans le sable, rebondit deux fois de deux grands pas et tombe. Il se relève, ses jambes sont lourdes, il crache de la boue, il repart. Le souffle lui manque. Obligé de reprendre haleine, il se couche à plat ventre sur le sol et, de tous ses muscles, comme pendant un bombardement, essaye inconsciemment de s'incorporer à la terre.

Les vieux symboles sont toujours vrais, il reprend des forces, il repart. Trois kilomètres le séparent de l'endroit où c'est arrivé. Il met près d'une heure à les parcourir. Quand il arrive, ce n'est plus le grand garçon, rieur et un peu niais, que connaissent tous ses copains de la Crude, qui regarde avec effroi un jet de flamme tordre la carcasse du taladro. C'est un homme au visage ensanglanté et boueux qui s'est tordu les chevilles et claqué le cœur à courir dans le noir, qui crache le sang ; il ne sait pas si ça vient de la bouche ou si quelque éclat...

Le feu s'en donne à cœur joie. L'alizé porte à des centaines de mètres vers l'ouest un panache de flammes qui sèchent la terre et la font craquer. Le vent souffle dur en ce moment, mais le mugissement de la colonne de feu, qui s'élève dans le ciel en redressant des débris de ferrailles, est plus fort que le sien. Le derrick est cassé en deux par le milieu, il s'est couché complètement, écrasant de sa masse incandescente le compresseur et les tréteaux où les ouvriers déposent leurs gamelles et leurs vestes en arrivant au travail. Puis la flamme a tordu le squelette de la tour et maintenant le redresse à la verticale. Le taladro a l'air de vouloir reprendre sa place et son travail. Un peu plus loin, le feu s'est accroché aux camions dont les citernes ont éclaté. Cinq tonnes d'eau répandues sur l'incendie de pétrole et d'essence n'ont fait que l'aviver. Deux bouquets de feu qui par comparaison semblent dérisoires complètent le spectacle du désastre.

A l'abri du cataclysme, debout dans le vent, deux Indiens accrochés l'un à l'autre, se cramponnant aux épaules, regardent le feu en hurlant des mots qui n'en sont pas, des mots du dialecte Guaharibo qui signifient mort et peur. L'Américain n'a pas besoin de comprendre leur langue pour savoir cela. Quatorze de leurs camarades sont restés dans le feu. Ils se sentent devenir fous. Lui aussi.

Il n'est pas question de s'approcher du cratère d'où sort cette colonne de feu aux contours parfaitement nets, cylindrique. Rynner pense avec effroi que les deux hommes qui sont là dénonceront son absence devant la Commission d'enquête. Quatorze sont déjà morts. Cette nuit rappelle de plus en plus la guerre. Il serait tellement facile d'assommer ces deux-là et de rester seul : pouvoir expliquer les choses à sa façon. Est-ce un scrupule, est-ce manque de caractère, Rynner ne se décide pas. Du reste, ça commence à ne plus marcher très bien dans sa tête.

Il s'approche et regarde leurs visages. Tous deux portent de profondes brûlures et ne paraissent pas s'en apercevoir. Leurs cils, leurs cheveux sont grillés à ras. Ils ne pleurent pas, probablement parce qu'ils ne savent pas le faire. Rynner essaye de leur parler.

— *Que fue ?* Qu'est-ce qu'il y a eu ?

Leur silence lui montre qu'ils ne l'entendent pas. Ils sont occupés à ne penser à rien, à mi-chemin entre la mort de leurs copains et leur propre vie.

Six heures plus tard retentit, pas loin à gauche, du côté de l'horizon, une sirène pressée, obstinée. Le chef de chantier du Dix-Neuf avait entendu le bruit de l'explosion, vu le feu et téléphoné au camp de Las Piedras. L'ambulance de la Crude arrivait. Les infirmiers descendirent, accompagnés de toute une équipe de secours, sept hommes casqués et vêtus d'amiante. Ils trouvèrent l'ingénieur Rynner, de la Crude, chef du derrick Seize, accroupi dans le sable entre le cadavre d'un Indien et un Indien mourant. « *My goodness, my goodness* », répétait l'Américain.

***

Naturellement, c'était un récit très incomplet de tout cela que le secrétaire d'O'Brien avait transmis à la vieille Mrs. Rynner. Ça lui avait quand même pris pas loin de dix minutes. A combien de dollars la minute ?

Il en arrivait enfin aux nouvelles purement médicales. Le plus délicat, sans doute.

— Hem ! Mrs. Rynner ? Ha ! Ha ! Oui. Voici le bulletin d'hôpital... Une seconde, voulez-vous.

Il posa le combiné et feuilleta une liasse de feuilles imprimées sur papier rose, lisant à mi-voix :

— Disparu, disparu, disparu... ce sont les Guatémaltèques... brûlures généralisées du troisième degré, double fracture du crâne... non, ça, c'est l'autre Indien...

A côté de lui résonnait la voix de la vieille dame de Toronto. Mais, à cette distance, ce qu'elle disait, ça restait parfaitement inintelligible. Il ne s'en soucia pas : il continuait sa recherche.

— Hem ! Mrs. Rynner ? Voilà ce que dit le bulletin, Mrs. Rynner : congestion cérébrale consécutive à une plaie pénétrante du torse. Choc nerveux. Etat grave. Pronostic réservé. Je répète : Etat grave. Pronostic réservé. Allô, vous m'entendez ? Mrs. Rynner, voulez-vous me donner votre numéro de téléphone ? En cas de décès, naturellement... Hem ! Hem ! Mrs. Rynner, vous m'entendez ? Hein ! Mrs. Rynner ?

Il reposa le combiné. Il semblait dépité.

— Elle a dû raccrocher, dit-il à la dactylo assise en face de lui. Donnez-vous donc du mal...

***

En jeep ou en command-car, il fallait bien compter dix heures de piste pour arriver au taladro où s'était produit l'accident de la veille. Le grand patron et son brain-trust avaient les fesses talées par les cahots. Leurs pensées ne se maintenaient pas à la hauteur de l'événement : leur prostate, leurs hémorroïdes leur donnaient du souci. Quelques dizaines de kilomètres plus loin l'incendie continuait de s'expliquer avec ce qui restait de la charpente d'acier.

Le spectacle leur coupa le souffle lorsque les deux voitures arrivèrent au foyer sous vent à elles. Une heure après le départ, ils avaient déjà commencé à se guider sur le nuage de fumée lourde qui masquait tout un secteur de l'horizon. « Il n'y a pas de fumée sans feu, marmonna O'B. — O'Brien, le boss — en sautant à bas du command-car d'un geste de jeune homme qu'il regretta aussitôt : il avait les reins brisés et une jambe complètement engourdie qui céda sous lui. Il manqua tomber.

L'incendie était en colère, avaient dit les Indiens. Il avait tout cassé. De la carcasse du taladro, rien ne subsistait. Les sept hommes le contemplaient à cent mètres de distance. Quelques-uns tendaient la main en écran entre leur visage et lui. Le chef du contentieux, un costaud de trente-cinq à quarante ans, le visage congestionné, avait tiré un calepin de sa poche, et prenait des notes. O'Brien, plus homme que les autres, plus doué pour le cataclysme et sa démesure, trouvait cela absolument comique. Il ne se gêna pas pour le dire :

— L'emmerdant, c'est que, pour lui prendre ses empreintes, il va falloir vous en approcher. Moi, j'en ai assez vu. Ça me fout le vertige.

L'accent irlandais, dont il n'avait jamais consenti

à se séparer complètement, ressortait ce jour-là plus que de coutume, sonnant comme une insulte supplémentaire aux oreilles de ses compagnons. Le chef du contentieux devint encore plus rouge. Mais il ne répondit pas ; et, tandis que le boss retournait s'affaler sur le siège avant du command-car et déployait sans affectation un exemplaire illustré en couleurs des aventures de Superman, lui se replongea dans des évaluations de distances qu'il notait au fur et à mesure sur son petit carnet.

La trombe de flamme semblait arracher du sol la matière dure, épaisse, étrange, dont elle était faite. Une colonne de feu en fusion jaillissait très haut et ne se dispersait pas, mais s'enfonçait dans le plafond noir du nuage. Les rares flammèches qui retombaient à portée de la vue avaient plutôt l'air d'éclats que de gouttelettes. L'incendie existait par lui-même, vivant, véritable. Courte ou longue que dût être sa vie, il avait une tâche assignée, qui était de s'élever dans le ciel, de courir vers le ciel. Il se hâtait.

O'Brien revint vers le groupe. Les constatations portant sur le passé ne l'intéressaient pas. Il n'aurait eu aucun avenir dans une administration publique, où la règle du jeu est d'expliquer le coup, non d'agir et de se battre. Or l'Irlandais était surtout doué pour la bagarre. Il était furieux. Il se sentait exactement en colère contre l'incendie. Ce n'était pas que celui-ci le lésât en rien. Eteint ou pas, ça n'empêcherait pas le traitement, doublé de l'indemnité de zone tropicale, de tomber le premier de chaque mois dans la poche du Directeur général pour le Guatemala. La question n'était pas là : O'Brien était furieux contre le feu parce que c'était comme ça et pas autrement. Il y a ainsi des hommes qui ne peuvent pas faire autrement que de se mettre dans une colère bleue en face des obstacles, des difficultés, en face de l'hostilité des choses et de l'univers ; sans eux, nous en serions encore au stade de la pierre taillée.

— Et il n'y a aucun cheminement qui amorce la tranchée d'accès, dit O'Brien. Il n'y aura qu'à creuser droit sous le vent, avec deux zigzags de sécurité, vers la fin.

— Il faut faire vite, dit son secrétaire. Dans trois semaines le vent change.

O'Brien lui battait froid. Il n'avait pas aimé la façon dont le garçon s'était acquitté de sa commission avec la mère de Rynner. Mais en l'entendant parler ainsi, il lui lança un regard de réconciliation : enfin une parole intelligente.

— Allez, en route !

Ils regagnèrent les voitures. Tout le temps que dura le trajet de retour, le chef du contentieux mijota un de ces petits rapports... où il s'arrangerait pour mettre en cause cette tête rouge d'Irlandais. O'Brien, lui, réfléchissait à un plan d'extinction. Il le combinait, le mettait au point. Il voyait déjà le cheminement prudent des géants vêtus d'amiante qui s'avanceraient au pied même de la colonne de feu pour la saper par sa base, l'abattre comme un arbre. D'avance, il savourait le silence qui, après l'immense vacarme du travail, écraserait de son poids la plaine, après s'être vautré sur le mugissement de la trombe, l'avoir étouffée comme sous un matelas. C'est comme ça qu'on soignait déjà la rage, autrefois.

C'est bête comme chou d'éteindre un puits en flammes. Il suffit de souffler dessus, comme on souffle une allumette. Seulement il faut y aller fort. A nous les explosifs ! Mais pas n'importe lesquels : ce qui suffit à détruire, à jeter bas, dans un rayon de plusieurs centaines de mètres, les maisons, ouvrage de l'homme, ne suffit pas à abattre son ennemi, le feu.

Quittant le plateau, la plaine aux cent derricks, les voitures s'engagèrent dans la descente qui les ramenait à Las Piedras. Pour les vingt derniers kilomètres, ils retrouvaient la piste goudronnée sur un empierrement serré et bien entretenu. C'était un véritable toboggan qui dégringolait vers le port. Son trajet sinueux le rendait acrobatique. Un rebord de vingt centimètres, en béton, marquait la limite du précipice. Plus bas, la route se repliait sur elle-même et arrivait à la mer après le passage d'une sorte de pont-digue qui enjambait les sept branches du rio Guayas. Mais on ne voyait ni la mer ni le fleuve : tout le littoral de la vallée n'était qu'un immense marécage d'où s'élevait un rideau de brouillard blanc. A l'amorce de la descente, le pays était tranché en deux par ce plafond : en haut, derrière, c'était le désert sud-américain, sablonneux, pierreux, avec sa végétation rase, grise, brûlée. Le soleil y restait douze heures par jour au zénith. Cent mètres en dessous, sous les roues, il n'y avait plus qu'un moutonnement mouvant de bain de mousse. Aucun chauffeur, même habitué, même né dans le pays, en bas, qui n'éprouvât de l'angoisse à s'y enfoncer.

La dénivellation totale était de quatre mille pieds, environ douze cents mètres. Le passage à travers le nuage s'étendait sur environ trois cents mètres mesurés verticalement, c'est-à-dire sur un parcours d'environ deux kilomètres. Quinze pour cent, c'était une assez jolie pente. Elle comptait déjà quelques morts de camionneurs à son palmarès, du temps que la Crude and Oil construisait son grand pipe-line, celui qui servait encore à drainer le pétrole depuis le plus reculé des taladros jusqu'au môle de Las Piedras. Des tracteurs automobiles, généralement hors d'âge et d'usage, traînaient alors en semi-remorque des tubes de quinze pouces de diamètre sur treize mètres de long. Chaque morceau pesait à peu près cinq cents kilos : on en accrochait de cinquante à soixante, amas pyramidal en forme de tombeau, reposant sur les deux roues arrière du tracteur et sur le couple remorque, et allez-roulez... Alors, parfois au plus fort de la pente, le moteur se mettait à cliqueter, à hoqueter. Deux soubresauts de toute la machine, et puis plus rien que le glissement doux des roulements que le moteur n'entraînait plus. Trente tonnes de ferraille se mettaient à reculer vers le gouffre. Saute, chauffeur, saute !... L'effort des bras sur la poignée de la portière de gauche, celle qui s'ouvrait du côté du volant, et que son propre poids bloquait, coinçait dans son encadrement de fer... Si en deux secondes le gars n'avait pas réussi à ouvrir, plus la peine d'insister : le lendemain, huit jours plus tard, au bout du bras-poutrelle du camion-grue, les équipes de récupération remonteraient à dure peine sur le goudron de la route deux carcasses, une d'os et une d'acier, qu'il n'y aurait plus qu'à mener ensuite chacune vers son cimetière.

Au temps de la construction du pipe-line, ce travail était fort bien payé.

***

Personne ne disait mot, ni dans la jeep, ni dans le command-car. Les deux véhicules à la silhouette militaire se suivaient de près. Ils franchirent les ponts à très vive allure, ralentirent pour aborder le pavé défoncé de la barrière de police et reprirent de la vitesse à l'entrée du cours San Matresco, au nom trop grand pour lui : il ne mesurait que vingt mètres.

La lumière diffusée par le nuage blanc blessait davantage les yeux que ne le faisait le soleil éclatant du plateau. Des cabanes sordides rasaient le sol, écrasées, baignant dans le brouillard pâle et brûlant : la ville suait son brouillard, une vapeur débilitante, bouillon de culture à l'état gazeux.

Les voitures passèrent devant la Policia, un bâtiment long et bas comme une boîte à chaussures qui serait en fibrociment. Là étaient casernés les représentants de l'autorité, et enfermés ceux qui avaient choisi de se brouiller avec elle. Les fenêtres étaient grillagées d'une sorte de treillage à poulailler. De tout l'édifice les portes constituaient sans doute l'élément le plus solide.

Assis au pas de la porte sur une chaise Henri II, un soldat, coiffé du plat à barbe de l'armée anglaise où le numéro de son bataillon, le Dix-Neuf, était peint au ripolin rouge, montait une garde que le règlement définissait comme vigilante. Il tenait son fusil entre les jambes, baïonnette au canon, et rêvait de cochonneries. Le bruit des moteurs le réveilla, il se pencha en arrière, cria vers l'intérieur de la cabane, à l'intention de son supérieur hiérarchique immédiat :

— Eh ! Général ! Les gringos reviennent.

— M'en fous, répondit cet officier.

A trois minutes du centre de la ville, commençait le quartier des maisons abandonnées. Cinq ans plus tôt, Las Piedras était le port le plus florissant de cette portion de côte. Maintenant, c'était une ville morte. La Crude avait payé d'avance au gouvernement, en sa capitale, trente ans de royalties, et n'y amenait plus un sou. Telles sont les vicissitudes de la vie économique de ces petits pays.

Des cabanes croulantes, des trous, des flaques fangeuses, des terrains vagues semés de cubes de ciment épars, de la boue, des mares croupissantes en pleine rue. A cause des moustiques et de la malaria, une noire couche de pétrole les recouvrait. Au passage des voitures, des jets visqueux d'éclaboussures s'en allaient à grand fracas maculer des pans de murs.

Un peu à l'écart, les Yankees avaient fait sauter à la dynamite tout un faubourg abandonné. Et en avant, les bulldozers. Ils avaient cimenté le terre-plein, puis avaient planté du grillage autour. Au milieu de cette sorte de ville bombardée, seules leurs petites maisons de bois restaient peintes de frais, vivantes, pimpantes. Pourtant, elles étaient toutes semblables.

Les deux voitures s'engouffrèrent dans le camp et s'arrêtèrent devant la baraque centrale. Le médecin-chef en sortait justement. Il s'avança vers O'Brien :

— Le second Indien est mort.

— Et Rynner ?

— Foutu.

O'Brien poussa un soupir qui n'était que de soulagement.

— Cure-dents, dit-il à son secrétaire, vous téléphonerez ça à la vieille dame dès que ça y sera ; et si elle s'évanouit encore au son de votre voix, moi, je vous saque.

Cure-dents la trouva franchement mauvaise.

*
* *

— *Anda, Manolete, anda !*

— *Anda, toro ! Que bravo !*

Les voix résonnaient fort dans la salle du Corsario Negro, le mauvais lieu de Las Piedras, et pourtant semblaient retransmises par quelque haut-parleur. A les entendre, on ne pensait pas au spectacle des aficionados debout sur les gradins, on cherchait des yeux le poste de radio grésillant qui captait le compte rendu d'une corrida. Peut-être était-ce la faute du brouillard moite qui flottait dans la maison comme sur la ville. Les habitants de Las Piedras appelaient ça l'haleine du caïman, à cause des innombrables crocodiles qui infestaient le delta. Tout de même, c'étaient bien des voix de chair et d'os, pas des discours de boîte électrique. A les entendre de nouveau, il n'y avait pas à s'y tromper :

— *Matalo, toro !*

— *Respecto à Manolete, que ya es muerto !*

— *Que va, muerto ? Maricon Dios !*

Ils étaient trois, assis à l'écart autour d'une table.

La salle était grande. Les murs blancs s'ornaient de lithos publicitaires. A droite en entrant, le comptoir. Un authentique portrait du Corsaire Noir, qui n'avait jamais existé, le surmontait. Il portait un pistolet au bout de chaque poing, un sabre d'abordage entre les dents, une fille sur les avant-bras et, pour les yeux, le peintre avait employé un produit phosphorescent. La fille était à demi impudique, assez belle ; la fière allure de son ravisseur semblait l'émoustiller violemment. Celui de ses seins qui débordait son corsage arborait une carnation plus que parfaite. Mais des vandales avaient dessiné un peu partout sur sa personne des emblèmes sexuels extrêmement naïfs.

Au fond, cinq alvéoles dont des rideaux de couleur vive masquaient l'ouverture : c'est là que ça se passait. Les filles se tenaient assises derrière une longue table de bois sombre. Une seule était belle : Linda, qui appartenait à Gérard, l'ancien contrebandier. Mince, brune, dure de tout le corps, elle représentait le type parfait de la race métisse, la chola, avec ses cheveux noirs lisses, sa peau fine et douce. Les quatre autres étaient laides, à ceci près que leur lourdeur, leur hébétude conféraient à leurs formes de bête une sensualité insistante, forte.

Il n'y avait pour ainsi dire personne au Corsario à cette heure. Dehors pesait la pénible chaleur de la pleine matinée. Dans un instant, vers onze heures, ce serait le coup de feu de la sortie des docks. Les travailleurs du port viendraient reprendre un peu de courage devant un verre d'aguardiente, respirer l'odeur des femmes. Quelques-uns se laisseraient prendre au piège de deux cuisses brunes aperçues par la fente d'une jupe, d'une langue passée sur des lèvres trop chargées de rouge. Gagnant devant eux les cellules du fond, des femmes se hâteraient, les hanches tressautant à chaque pas. Ils tireraient le rideau derrière eux, et ce serait pire que s'ils faisaient l'amour devant tout le monde. Mais, pour l'instant, tout restait bien calme. Il n'y avait que les fumeurs de marihuana.

Car les cigarettes de carton d'où les trois hommes faisaient jaillir de lourdes bouffées grises étaient bourrées de marihuana, la drogue des délires dirigés. Il suffit de quatre grammes d'herbe, on ferme les yeux, la foire aux rêves est ouverte, faites votre choix. En un quart d'heure vous serez Hitler dansant la gigue sur le terre-plein de Chaillot, le coureur au volant de la Maserati que vous avez toujours voulu — et jamais pu — vous offrir, l'amant de Rita Hayworth avec les détails, professeur de philosophie aux Langues orientales et père des quintuplées. Ça ne se terminera pas par le suicide au bunker, par l'écrasement sur un platane, la voiture en flammes, ni par une maladie honteuse. Vous aurez fait l'amour sept fois, et envie de recommencer ; il n'y aura plus pour vous d'étymologies inconnues ni même douteuses ; et vous serrerez la main au Roi d'Angleterre. Evidemment, quand on se réveille, tout est à recommencer.

Mais telle est la marihuana qu'on vend en cigarettes toutes prêtes, à des prix dérisoires, dans tous les ports d'Amérique latine.

Aujourd'hui les fumeurs du Corsario s'étaient décidés pour une séance de tauromachie.

La drogue leur faisait ces voix étranges ; leur souffle, ces cris inattendus. Sur la table ronde dont le dessus n'était pas de marbre mais de ciment, la marihuana avait mis le couvert. Elle y avait déversé pour eux, par tombereaux, du sable doré, du beau sable d'arène.

Pour eux, pour leur émerveillement, elle avait contraint des objets familiers à prêter leurs silhouettes, les transformant en cette foule somptueuse et bigarrée qui vit quelques heures sur la plaza de toros, les jours de fête. Des cendriers, des soucoupes, des bouteilles vides de Coca-Cola, un litre de rhum à moitié vide étaient devenus d'agiles banderilleros, de somptueux picadores, d'austères gardes civils : figuration indispensable aux préliminaires de la mise à mort. Bien plus, Manolete officiait en personne. Manolete qui pourtant s'était fait tuer, voilà deux ans, par son cent huitième taureau. Manolete, l'idole des aficionados.

La corrida avait véritablement lieu aux yeux des fumeurs — même si, parfois, l'un d'eux, déplaçant un verre d'un geste furtif, donnait à l'action le coup de pouce nécessaire — mais, pour le spectateur qui gardait son sang-froid, elle portait de façon irritante l'étiquette « Factice » écrite en gros caractères. Aussi, renfrogné et presque furieux, le patron, un Européen blafard et gras du nom de Hernandez, les contemplait d'un air de patience affectée. Avec le torchon à verres il essuyait la sueur qui rendait son visage luisant. Il grogna :

— Ah, ils sont baths !

De fait... Deux d'entre eux étaient des Indiens sang-mêlé, rabougris, nerveux, maigres. Leurs cheveux raides brillaient d'un noir de ripolin, mais au plus vieux il en manquait beaucoup. A y regarder de près, c'était une sorte de pelade qui lui avait même attaqué le cuir. Tous deux portaient la moustache mongole, cirée, cruelle.

Le troisième était un Blanc qui paraissait soixante ans. Il était squelettique. Les rides de sa figure formaient de gros plis encrassés ; il avait les cheveux blancs, des mains agitées ; par moments, des frissons spasmodiques le faisaient onduler. Ses yeux, décolorés comme chez ceux qui ont beaucoup voyagé en mer, étaient enfoncés profond sous les arcades sourcilières ; mais il avait les joues si creuses, qu'au-dessus des pommettes ils roulaient à fleur de peau. Il était la proie d'une activité à quatre temps, précipitée, qui aurait pu faire supposer une impatience fondée sur des motifs graves : il toussait, riait, disait cinq ou six mots, se taisait tous les traits détendus, le visage mort. Puis il recommençait. Le tout durait une minute à peine.

Les trois hommes se penchèrent soudain de plus près au-dessus de la table. Jacques, l'Européen, grommela :

— *Eso no es corrida sino carniceria*, ce n'est pas une course de taureaux, c'est une boucherie.

— *Anda, toro ! Que brava, que ruda la bestia !*

Pour eux trois, sans doute, Manolete était bien en train de toréer sur cette table ; sans doute, dix mille spectateurs passionnés s'étaient-ils assis sur les deux chaises vides à côté d'eux. Mais le patron les trouvait de plus en plus saugrenus. Seule l'indulgence quasi professionnelle des filles leur restait bienveillante.

Derrière le comptoir, il y avait aussi la femme du patron. Elle se tenait assise bien droite derrière la caisse enregistreuse, une machine neuve, tout nickel et cadrans. Vieille à trente ans, flétrie, bouffie, elle contemplait avec ferveur l'appareil, signe de sa prospérité.

Entre elle et son mari, une Indienne plus jeune, penchée sur le bac de zinc, était occupée à laver la verrerie de la nuit passée.

Un client arriva, revêtu d'un uniforme de coutil gris à bandes vertes. Il ressemblait à un cireur de bottes qui n'aurait pas eu le temps d'astiquer les siennes. Un étui à pistolet accroché à son baudrier de cuir, un nombre important d'étoiles et de galons sur ses manches, sa poitrine, sa casquette indiquaient son grade, sa fonction : sous-commis de deuxième classe à l'administration des douanes.

— Salut, Maître ! cria-t-il à l'intention de Roberto. Madame, vos yeux me font rêver. Petite, tu as de jolies fesses.

— Salut, Colonel, répondirent d'une seule voix la direction et le personnel domestique du Corsario. Mais les femmes ne se dérangèrent pas. Si le Sud-Américain est généralement polyvalent, celui-là était un pur pédéraste. Il commanda un punch à la crème et le sirota en regardant le groupe des fumeurs de drogue.

— S'il tourne encore autour de Gérard, moi, je lui crève le ventre, dit Linda à sa voisine. Celle-ci haussa les épaules sans répondre.

La marihuana agissait, Jacques, depuis un quart d'heure, se prenait pour Franco. Il avait également décidé que l'Indien à la pelade n'était autre qu'Evita Peron, l'épouse capiteuse du dictateur argentin. Aussi commença-t-il à lui faire la cour en l'appelant « Señora ». L'Indien avait passé l'âge des changements de sexe. Empruntant pour s'exprimer la ridicule phraséologie espagnole, il se mit à injurier Jacques ; il lui parla en mal du ventre de sa mère, des testicules de son père et conclut avec pertinence :

— Tu n'as pas plus de culture qu'un cochon incestueux né dans une cour de ferme, ton père était un crabe et ton aïeul un maquereau.

— Evita, mon ange, n'écoute pas les propos que profère par le canal de ta bouche adorée cet analphabète honteux, répondit Jacques.

L'Indien se leva, véritablement furieux. Jacques aussi se mit sur ses pieds tant bien que mal. Ils se mesurèrent un instant du regard, sur le point d'en venir aux mains. Mais le troisième réclama le silence d'un ton pressant :

— Voyez, voyez cette passe de cape. Ce taureau a bu du sang de l'homme, il est valeureux et fier. Mais Manolete vaincrà.

Derrière le comptoir, le patron se penchait maintenant vers la serveuse.

— Je veux bien qu'on me casse les oreilles et les pieds, mais au moins que ça me rapporte. Rosa, va renouveler les consommations.

Pas très rassurée, la fille contourna le zinc,

s'approcha des trois hommes, posa la main sur un verre vide et demanda :

— Que dois-je vous servir maintenant, monsieur Jacques ? Et à vos compagnons ?

Jacques se retourna tout d'une pièce face à elle. Il avait l'air extrêmement méchant.

— Veux-tu laisser ça là, petite garce !

Mais la fille reculait déjà, le verre à la main.

— Veux-tu laisser ça là ! répéta Jacques. Et il ajouta d'un ton douloureux : Cette salope a enlevé le taureau.

Presque aussitôt, les Indiens se rendirent compte de la portée du désastre. Ils se regardèrent comme des gens à qui on viendrait de jouer un très sale tour. La servante battit prudemment en retraite à l'abri du comptoir.

L'Indien atteint de pelade hocha la tête et constata à son tour :

— C'est pourtant vrai. Elle l'a enlevé.

— Et qu'est-ce que nous allons faire maintenant ? reprit Jacques, larmoyant. Une si belle histoire. J'étais Franco, j'aurais gracié les antifascistes. Tu étais Evita, tu aurais empoisonné Peron avec du caviar à l'arsenic, tu étais maîtresse de l'Argentine. Arrive une petite chola de métisse de merde dont la mère marchait à quatre pattes dans la forêt, et nous allons lui laisser enlever notre taureau, foutre tout par terre et déshonorer Manolete par-dessus le marché ?

— Impossible, conclut le troisième Indien ; tout à fait impossible.

Le Blanc était de loin le plus excité. Il se leva de son siège ; dans les orbites, ses yeux roulaient à toute vitesse sous les sourcils décolorés ; sa lèvre inférieure tremblait. Il bavait un peu. Les Indiens résistent mieux à la drogue. Ceux-là firent un effort pour rabattre leur compagnon Européen vers sa chaise. Mais le fou tenait sur ses pieds plus ferme qu'ils ne l'avaient cru. Les deux autres n'insistèrent pas et le laissèrent à sa colère.

Jacques attrapa un premier verre, le jeta par terre, en piétina les morceaux. Les cigarettes et les allumettes voltigèrent ensuite à travers la pièce. Sa rage allait croissant. Il jeta à la tête du Corsaire un lourd cendrier, qui creva la toile. Le patron haussa les épaules et s'avança dans l'intention de mettre une bonne fois l'énergumène à la raison. Jacques saisit alors un verre qu'il lui jeta à la tête en hurlant de la voix d'un enfant qui ferait un caprice :

— Mon taureau ! Rendez-le-moi ou je vous crève tous !

Hernandez s'était baissé à temps, le verre s'en fut s'écraser sur le mur. Un éclat emporta un bout d'oreille du douanier. Debout à leurs places, les filles regardaient. Le patron, énergique, mais pas du tout en colère, assomma Jacques de deux gifles. Le vieux s'écroula en pleurant. Hernandez retourna derrière son comptoir.

Près d'une minute s'écoula sans que le fonctionnaire s'aperçût qu'il était blessé et que ça lui créait quelque droit à gueuler comme un âne. Il ne s'en fit pas faute. Le sang ruisselait sur son épaulette dorée et se divisait en petites rigoles autour de ses médailles. Tout en supputant le montant de l'indemnité qu'il allait pouvoir réclamer : perte de prestige, blessure, note de teinturerie, etc., le douanier prit le grand élan pour une harangue indignée :

— Vous n'êtes pas ici aux antipodes, étranger de merde, s'écria-t-il avec emphase, mais en plein centre d'une cité civilisée et même éduquée. Moi, Guatémaltèque pur sang, héritier des héros du

24 juin, du 6 juillet et du 24 août, je ne crains pas de vous le dire.

Cette allusion à de glorieuses journées historiques guatémaltèques que les Européens n'ont jamais consenti à prendre au sérieux, il y en aurait trop, n'impressionna pas Hernandez.

— Toi, bois ça et fous-nous la paix, dit-il au blessé, en lui tendant un verre de whisky plein à ras.

Rosa, innocente cause du tumulte, s'affairait à étancher le sang sur son visage à l'aide du torchon à vaisselle. Les femmes s'étaient rassises. Ecroulé sur sa chaise, Jacques pleurait toujours à gros sanglots en réclamant son taureau. Il commencerait bientôt à reprendre ses esprits, mais pour l'instant il trouvait tout ça très injuste. A ce moment entra Gérard, l'homme de Linda. Il semblait affairé.

— Encore saoul, celui-là, dit-il en montrant Jacques. C'est pas tout ça, il y a du nouveau. La Crude embauche.

— Tu cherches du travail, maintenant ? On aura tout vu, s'étonna Hernandez.

— Celui-là m'intéresse ; ils annoncent : dangereux et bien payé.

Le patron du Corsario resta un instant la bouche ouverte. Puis il retrouva assez de souffle pour demander :

— Qu'est-ce que c'est ?

— Je ne sais pas, répondit Gérard. Mais, de toute façon, il était temps. Je me ramasse un petit paquet et adieu Las Piedras. J'en ai plus haut que la tête de ce bled de mort, moi. Voir ça tous les jours...

Du regard il désignait Jacques qui maintenant

pleurait tout doucement, les yeux ouverts ; puis la salle, le douanier, le groupe des filles.

— Regarde Linda... Six mois que j'ai envie de la retirer du tapin et que je ne peux pas because beefsteak. Et cette ville en loques. Et ce brouillard, ce fleuve de merde, ces mecs kaki. Marre ? Je les chie, tu veux dire.

*
* *

Un an auparavant, Gérard était arrivé du Honduras par l'avion de onze heures. Il était entré comme s'il était venu du bistrot d'en face, d'un pas pressé et désinvolte. Ce jour-là aussi, Jacques, saoul de marihuana, pleurait dans un coin. Il est vrai que ça lui arrivait en moyenne trois fois par semaine. Hernandez regardait le nouvel arrivant sans paraître le reconnaître, mais celui-ci avait enlevé ses lunettes fumées et dit seulement :

— Salut, mec. Paie le taxi, tu veux ?

Le gérant du « Corsario Negro » n'avait pas répondu directement, mais, fouillant dans le tiroir-caisse, il en avait tiré un dollar d'argent qu'il avait tendu à la serveuse en lui disant :

— Donne ça au chauffeur.

Son avarice était pourtant notoire. Les assistants avaient donc déduit de son geste que le voyageur devait savoir bien des choses sur le compte de Hernandez. Ils avaient vu juste.

A douze dollars par jour, Gérard avait pris ses quartiers au Corsario. Hernandez n'avait pas aimé cette solution, mais n'avait pas osé le dire. Bien pis, Sturmer ne lui avait jamais versé un sou. Son ardoise s'élevait à deux mille bucks (1) quand

(1) Deux mille bucks : deux mille dollars (argot américain).

Linda avait commencé à travailler pour lui. La passion dévote qui avait jeté la métisse à ses pieds agaçait passablement Gérard, et ne le touchait point. Mais il ne pensait pas qu'un grand amour fût indispensable à un maquereau. Il s'était alors mis à payer Hernandez, de-ci, de-là. Mais l'arriéré semblait définitivement destiné à passer par profits et pertes.

Gérard Sturmer avait rapidement fait le tour des possibilités qu'offraient à un garçon comme lui la ville et le port de Las Piedras. Il avait d'abord essayé du travail régulier. Les perspectives étaient mauvaises. La population indigène de Las Piedras végète dans un état d'extrême misère. Minée par les fièvres, les tares héréditaires, les épidémies, elle est trop nombreuse pour le peu de travail que fournit le port.

Le chômage, la famine s'étaient installés en permanence dans ce dépotoir du littoral Pacifique. Complétaient le tableau quelques aventuriers faméliques ; mercenaires chassés des pays voisins par l'échec et la dispersion du parti auquel ils avaient vendu leurs services ; marins scandinaves qui avaient déserté pour l'attrait d'une bouteille de rhum ou d'une femme du bas quartier, pensant repartir sur le bateau suivant. Mais, du jour au lendemain, il n'y avait plus jamais eu de bateau suivant. Seuls les pétroliers américains touchaient encore, pour des escales de six heures, le môle où débouchait le pipe-line de Zulaco. Chez eux, rien à faire : leurs équipages étaient Yankees, membres de la Golden Star, syndicat fermé, sévèrement réservé aux marins anglo-saxons. Tous les ans, un cargo panaméen s'arrêtait bien une semaine. Mais ceux qui auraient voulu s'y embarquer n'avaient jamais assez d'argent pour toucher le cœur du capitaine. Et ces rafiots étaient trop petits pour qu'ils pussent s'y cacher.

Tous ceux qui avaient échoué à Las Piedras se trouvaient dans une situation analogue à celle de Gérard : chassés de tous les pays environnants, acculés par leur passé, coincés dans un trou sordide et malsain où il leur était impossible de vivre et qu'ils ne pouvaient quitter que pour aller très loin : le Mexique, le Chili.

Pas d'argent. Peu à peu, l'anémie pernicieuse rongeait, mangeait leurs globules rouges ; la dysenterie, leurs tripes ; les fièvres, l'ennui, son cortège de drogue et de coucheries, leur cerveau. Sans travail, sans le sou, ils attendaient, cherchant une improbable porte de sortie. Le choix était pour eux bien simple : partir ou crever. Ils ne pouvaient partir, ils refusaient absolument de crever. Les mains crispées, les dents serrées, ils arpentaient avec rage le piège à hommes où ils étaient tombés :

« On ne prend pas l'avion sans argent. Il n'y a pas d'argent sans travail. Il n'y a pas de travail. On ne prend pas l'avion sans argent... On tient à peine debout, épuisé, sans courage ni sang. On ne s'attaque pas aux coffres d'une compagnie américaine, quand il y a pour les garder une équipe de costauds nourris spécialement pour être capables de tuer un homme d'un coup de poing... On ne part pas sans argent... »

Grâce au cœur et à d'autres parties du corps de Linda, Gérard avait du moins échappé à ce paroxysme de misère. Mais les débuts avaient été difficiles. Deux jours après son arrivée, comme tout le monde, il était allé faire un tour au bureau d'embauche de la Crude. Dans une salle au plancher gris, poussiéreux, meublée de quatre longs bancs disposés en carré, une vingtaine de miséreux attendaient leur tour en échangeant des considérations plaintives sur leur propre misère. Ils étaient maigres, leurs yeux brillaient ; leur odeur était celle de gens qui ont faim. Gérard traversa la pièce et frappa au bureau du boss.

— *What's the matter?* répondit de l'intérieur une voix arrogante et enrouée. Sturmer entra et se trouva nez à nez avec le monstre.

L'homme à qui on vient demander du travail est toujours affreux à voir : mais, dans ce cas-là, ça dépassait tout. Une chose longue, filiforme et blême, ornée de lunettes d'or et de dents de même matière, un stylo à l'oreille gauche, un dans la main droite, transpirait lourdement sur un formulaire imprimé. De temps en temps sa main saisissait son ventilateur de bureau et l'amenait à l'entrée de son autre oreille, celle où il n'y avait pas de stylo. Il avait l'air de se nettoyer la cervelle à l'air comprimé. Il avait regardé Gérard par en dessous et soupiré :

— *No job for you, guy. I'll see you...*

Deux jours plus tard, Gérard, tout honteux de ce qu'il allait faire, se présenta aux services officiels de l'Immigration et de la Main-d'Œuvre, logés dans une immense bâtisse de béton. La porte était de bronze. L'humidité y avait découpé des cernes verts et semé des pustules moisies. Dans le patio, un vaste tableau, lui aussi en lettres de bronze, fixait les droits et les devoirs de l'immigrant ; la péroraison en était surtout remarquable :

— Celui qui arrive en territoire guatémaltèque animé de courage et du désir de servir, doté d'une bonne santé, de persévérance et d'enthousiasme, celui-là a le droit de manger tous les jours.

Combien de fois par jour, et quoi, le texte ne le disait pas.

Dans le hall, derrière un bureau de style américain, un employé en uniforme, c'est-à-dire pantalon de gabardine kaki, chemise blanche, cravate noire desserrée, visière verte, fit de la main un geste de refus avant même que Sturmer eût ouvert la bouche. L'Européen ne s'étonna pas. « Holà ! Amigo ! » cria-t-il du ton de celui qui vient de retrouver un ami d'enfance après dix ans de séparation. Le scribe étonné leva la tête et quelque chose qui, sous cette latitude, peut être considéré comme un sourire se dessina sur son visage kaki.

Pour prix de ses talents de causeur — un récit très édulcoré, mensonger même, de son existence passée —, Gérard se vit remettre un formulaire où figurait son identité : Gérard Sturmer, trente-six ans, né à Paris, *jamais condamné, profession : directeur.* Ce n'est qu'une fois dans la rue qu'il s'aperçut qu'il s'agissait d'un emploi de docker.

Gérard transigea avec sa dignité. Il y a des arrangements avec le ciel, se dit-il ; on peut être docker sans jamais toucher à un sac, à un colis, et passer quand même à la caisse tous les samedis... Il alla vers le port.

Des sacs de ciment étaient déposés à vingt mètres en arrière du quai, perpendiculairement à la mer. Il y en avait beaucoup : cent mètres de long, trente de large, cinq de haut. Sous la direction d'un contremaître muni d'une trique et d'un sifflet, une vingtaine d'hommes prenaient les sacs, les chargeaient sur leur tête et allaient les déposer à l'autre extrémité du môle, parallèlement au rivage, en un tas imposant de cent mètres de long, trente de large et cinq de haut. Tout portait à croire que lorsque ce transfert serait terminé, il n'y aurait plus qu'à le reprendre en sens inverse.

Gérard s'approcha des hommes qui travaillaient. La sueur ruisselait sur tout leur corps, et, mêlée au ciment, dessinait sur la peau un canevas de rigoles dures qui les faisait saigner. Leurs traits étaient creux, leurs yeux fixes. Quand leur respiration soulevait avec peine les côtes tranchantes, on avait l'impression que ça déchirait quelque chose à l'intérieur. Parfois, l'un d'eux s'arrêtait et toussait, crachant ensuite des paquets gris de mucosités et de ciment. Quand il y mettait trop de temps, le contremaître sifflait deux fois à court intervalle. Le troisième avertissement, c'était un coup de trique.

Sturmer s'avança vers lui, lui remit le papier qu'il tenait du type de l'immigration et lui demanda :

— C'est pour quel emploi ?

L'homme, un Indien gras, l'air d'un bourreau chinois, lui tendit ses outils d'un air confraternel :

— C'est pour me remplacer, camarade.

Gérard le regarda. Il était franchement amical, cet innommable.

— Je préfère aller me faire nourrir à la Carcel Modelo pour t'avoir assassiné que de faire ce boulot. Va te faire voir, ordure.

L'autre eut une moue décontenancée. Sturmer haussa les épaules et s'en alla déjeuner au Corsario, renonçant à trouver un travail honnête. C'est par là qu'il aurait dû commencer.

Après, il y eut l'épisode de la contrebande. Pendant près d'un mois deux riches commerçants du port, un pharmacien noir à lunettes d'or et pieds prenants, et le propriétaire du seul bazar, un Indien du nom d'Alvarez Gordo, jouèrent à la balle avec Sturmer ses propositions, ses espoirs. Gérard avait bien compris dès le début que si lui, personnellement, avait disposé de quelques sous à mettre dans une première expédition, les deux Guatémaltèques lui auraient donné un sérieux coup d'épaule. Peut-être même, s'il avait eu un bateau à lui, auraient-ils fait les premiers frais. Ils avaient presque promis dix mille bucks à cette condition.

D'autre part, le propriétaire d'une gargote du littoral possédait une goélette qui pouvait prendre la mer, moyennant deux mille dollars de réparations. A celui qui les ferait, il consentirait sans doute à vendre le bateau à crédit. C'était un vingt-deux mètres en bois de teck, dont la coque était doublée de cuivre. Ça en valait la peine : une fois retapé, il vaudrait quinze mille bucks comme rien. Mais Gérard n'avait pas deux mille dollars, et il lui était aussi difficile de se les procurer que d'en trouver dix fois plus. Tel était pour lui le problème. Avec deux mille dollars, il en débloquerait dix mille prêts à tourner et à faire des petits.

Il y avait onze mois que les choses en étaient là. Deux fois par semaine, le Français faisait le tour de ses commanditaires éventuels, histoire de les entretenir dans leurs bonnes dispositions. Le reste du temps, il se laissait vivre. Parfois il allait aussi jeter sur sa goélette le regard du maître. Et puis, il y avait Linda.

Il n'y avait pas que Sturmer à s'être pris à la glu de cette ville de mort. Hans Smerloff — tour à tour Russe, Polonais, Lituanien ou Allemand suivant l'interlocuteur et les dernières nouvelles de la politique internationale — était auparavant chef de la police au Honduras, et puis un jour il s'était vu obligé de s'en aller en courant. Ses copains le mettaient en boîte sans tact :

— Alors, Hans, tu t'étais choisi un Général, et puis c'était pas le bon ?

— Tas de cons, répondait Smerloff en haussant les épaules. Tas de cons de merde !

Quand on lui demandait quels étaient ses projets, son visage devenait froid et sévère :

— Maintenant ? Je suis en train de recruter de pièces et de morceaux une armée d'assassins faméliques qui ne laissera pas pierre sur pierre de Tegucigalpa, la capitale, le jour où j'y entrerai à leur tête.

Le jeu consistait à lui faire ensuite avouer qu'il n'avait pas un sou pour acheter les armes indispensables. Sa figure piteuse faisait rire tout le monde.

Il y avait Bernardo Salvini, qui avait l'air d'un chanteur de charme, et pas toute sa raison. Il prétendait que son passeport était visé pour les States. Peut-être disait-il vrai, peut-être pas. Quand un nouvel arrivant s'installait au Corsario, un garçon jeune, mal peigné, mal rasé venait s'asseoir à sa table et engageait aussitôt la conversation.

— Vous êtes nouveau dans la ville, monsieur. Viendriez-vous des States ?

— Non, répondait l'autre après avoir jeté un coup d'œil sur ce visage anxieux, trop jeune pour son personnage.

— Y avez-vous vécu ? reprenait Bernardo.

Sans attendre la réponse, le gosse enchaînait :

— C'est terrible, monsieur ! J'ai un visa pour y entrer mais je n'ai pas d'argent ; et mon passeport expire dans trois mois. Je n'arriverai peut-être pas à gagner tant d'argent en si peu de temps : le passage coûte cent dollars. Je m'excuse, monsieur. Peut-être consentiriez-vous à me les prêter ?

Naturellement, la réponse était toujours « Non ».

Et Johnny. Johnny ne s'appelait pas comme ça de son vrai nom, il était Roumain, et il s'était réfugié ici après avoir tué d'un coup de couteau son meilleur ami, un soir de whisky. Lui aussi venait de Tegucigalpa, comme Hans. Ç'avait été une histoire bête ; les histoires de coups de couteau sont toujours idiotes entre amis. Mais maintenant que Johnny avait trouvé un autre meilleur ami en la personne de Gérard, il commençait à regretter moins celui qu'il avait tué.

D'autres : Lewis, un Anglais pédéraste qui ne voulait que des Noirs pour amants et dont l'apparence évoquait des idées de respectabilité forcenée ; Juan Bimba, un ancien dynamitero de la guerre d'Espagne, expulsé du Mexique où il avait été jugé peu conformiste par ses compatriotes staliniens. Cacahuète, Pedro l'Américain, Deloffre l'ancien ministre de France à Caracas, Steeves de Bogota... En tout, une vingtaine qui, tous, auraient tant voulu s'en aller.

***

A la porte du camp de la Crude était affichée une offre d'emploi :

« On embauche excellents chauffeurs de camion. Travail dangereux. Hauts salaires. S'adresser au bureau. »

Le matin, il y avait eu conférence, dans le bungalow du boss, entre lui, le spécialiste envoyé par Dallas (Texas) — qui venait d'arriver dans un avion de la compagnie —, le chef des transports et celui du matériel.

— Encore une veine que nous ayons ici ce stock de nitroglycérine, grognait O'B. Il écrasa le mégot de son cigare sur le rebord de la fenêtre où il se tenait accoudé, cracha dehors et revint vers le groupe d'ingénieurs assis autour de la table.

— Encore une veine, reprit-il. Mais pour la

question du personnel, débrouillez-vous, je m'en fous. Tout ce que je sais, c'est qu'on ne peut pas laisser ce puits brûler indéfiniment. Si nous attendons, nous ne pourrons rien entreprendre avant le renversement des alizés.

— Que dit la météo ? demanda le type de Dallas. Pour quand ?

O'Brien haussa les épaules et lâcha un juron. La météo ! C'était sans doute une question de huit jours au maximum, et personne dans ce damné pays n'avait jamais été fichu de le prévoir à un mois près. Tous les ans, une ou deux goélettes se perdaient précisément à cause de ça.

Le chef des transports avala une rasade de whisky.

— De toute façon nous sommes en train de remettre en question une décision qu'on ne nous a pas attendus pour prendre. L'affiche demandant de la main-d'œuvre est à la porte depuis ce matin.

Son ton était aigre. Il n'était pas fâché, devant l'homme du Siège, de faire constater la façon dont l'Irlandais traitait ses subordonnés.

— C'est bien parce que l'affiche est posée que tout cela me paraît du temps perdu, coupa O'B. Résumons-nous : il est absurde de faire venir des States une équipe de chauffeurs spécialistes. Surtout avec le genre de camions que nous avons à leur offrir : de dangereux clous. N'est-ce pas, Humphrey ?

Ainsi interpellé par son prénom, le chef des transports sursauta. « Le vieux chameau rend les coups », se dirent l'homme du matériel et le type aux explosifs.

— En effet, ils laissent à désirer sous le rapport de la sécurité, bafouilla le prénommé Humphrey. Mais si on m'avait écouté...

— C'est moi que vous allez écouter. Si nous faisons venir les chauffeurs des States, de deux choses l'une : ou ils refuseront de transporter de la nitroglycérine sur des véhicules dépourvus de dispositifs de sécurité, ou ils accepteront. S'ils refusent, nous devrons ensuite faire venir les camions spéciaux de Dallas. Ça coûtera cher et ça prendra du temps. Et si nous renvoyons alors les garçons pour en venir à ma solution de main-d'œuvre locale, vous entendrez gueuler le Syndicat.

Entendre gueuler le Syndicat a toujours été le permanent cauchemar de tous les dirigeants d'exploitation yankees. O'B. marquait un point.

— De toute façon nous aurons de la casse, reprit l'Irlandais. Avec les difficultés de la piste, le sol dans l'état où il est, au moins cinquante pour cent des voitures sauteront. Ce n'est pas de la dentelle pour robe de mariée qu'ils transporteront, les gars : c'est de la nitroglycérine.

Il prononça le mot en détachant les syllabes et la chose se fit présente dans la pièce. Ils se taisaient tous ; le silence était devenu attentif.

— Alors ? demanda le technicien du feu.

— Alors, vous comptez un chargement de combien de livres, en combien de camions ?

— Environ une tonne et demie en cinq à six voyages. Il faut répartir le risque. Vous n'avez que deux tonnes en tout et pour tout. Si nous n'en amenons pas suffisamment sur le terrain, pour en avoir trop perdu en route, ce sera sans issue.

— Les camions spéciaux coûtent combien ? demanda O'B. au chef des transports.

Celui-ci fouillait dans sa serviette de cuir à la recherche du renseignement. L'ingénieur du Siège répondit avant lui :

— Sept mille cinq cents dollars pièce.

— Plus, mille bucks de transport. Plus, les primes d'assurance, et quelle prime ! Plus...

Il s'étrangla, reprit son souffle et conclut :

— Trop cher.

Une fois encore, le silence se fit plus présent. O'B. revint à la charge du ton patient qu'il employait de coutume pour expliquer des recettes à sa cuisinière.

— Voyons, essayez de comprendre. Qui va se présenter à l'embauche ? Une foule de ces enfants de putain de Noirs, d'abord. Ceux-là, il ne nous en faut pas.

— Pourquoi, demanda naïvement le chef du matériel qui, jusque-là, s'était curé les dents en silence. Pourquoi ? Il me semble...

— *Il vous semble* qu'ils ne nous ont pas chauffé suffisamment les oreilles avec les quatorze morts d'avant-hier ? Et quand deux ou trois *citoyens guatémaltèques* de plus auront avalé leur bulletin de naissance sous nos auspices, vous *pensez* que nous n'aurons aucun ennui supplémentaire avec leur gouvernement de nègres, leur presse de singes et leur clique d'hommes des bois ? Allons !

O'Brien avait les épaules larges. Lorsqu'il les haussait, ça remuait de l'air. L'autre convint de son erreur :

— Je n'y avais pas pensé.

— A part les indigènes, qui est-ce qui va se présenter à l'embauche ? enchaîna le boss. Mais les tramps (1), naturellement. Dans cette ville de mort où seuls nous retiennent notre travail et les indemnités de zone, il y a des hommes qui feraient n'importe quoi pour en sortir. C'est ceux-là qu'il nous faut. Eux accepteront de conduire vos espèces

(1) Tramps : vagabonds.

de camions, Humphrey. Ma parole, pour toucher le paquet, ils feraient le parcours à cloche-pied avec la charge sur le dos. Et ceux qui sauteront laisseront-ils des ayants droit ? Et quel syndicat viendra nous chercher des poux dans la tête en leur nom ?

— Et on ne serait pas obligés de les payer tellement cher, fait remarquer Humphrey.

Du coup, O'Brien bondit. Sa manière était d'ordinaire brutale, mais personne ne l'avait jamais vu comme ça. Depuis longtemps déjà, au moins un quart d'heure, cet Humphrey devenait sa bête noire. Il attrapa le garçon de la main gauche et le souleva de son siège. Une veine étonnamment gonflée lui courait au milieu du front. Ses yeux étaient injectés. Il gronda un bon moment avant de parler.

— *You rascal, you fucking rascal*, finit-il par articuler entre ses dents. Il lâcha le type qui retomba sur sa chaise.

— *You fucking rascal.*

Il avait envie de crier, O'Brien l'Irlandais. De dire à ces têtes plates que lui, O'B., le chef régional le plus apprécié de la Crude, lui aussi avait de longues années durant traîné ses slacks d'un port à l'autre à chercher une sortie. Lui aussi avait été un tramp. Il pouvait être dur, lui, mais cette sordide petite ordure d'Humphrey, non ! Gosse de riches, sorti de Yale, il y a trois ans... De son enfance d'enfant pauvre, O'B. gardait la haine des gars de cette sorte. Il se calma peu à peu. Quand il se sentit capable de parler d'une façon normale, il se contenta d'ajouter :

— Le moins est que ces hommes soient très largement payés. Mais je fais mon affaire de tout ça. Je les verrai et les engagerai moi-même.

Tout le monde se leva. Le type de Dallas s'approcha de l'Irlandais et lui serra la main.

— Très bien, boss, dit-il.

***

O'B. ne se trompait pas. Les étrangers arrivèrent en groupe, à vingt. Ces types n'aimaient pas faire la queue. Ils bousculèrent la file des indigènes qui attendaient depuis six heures du matin, au lever du soleil. Comme il était dix heures, ça en fit pas mal à déplacer. Malgré l'intervention du policier de garde, tout se passa très bien. Les tramps étaient au premier rang lorsque la porte s'ouvrit enfin. Il y avait Gérard, Hans, Luigi, Juan Bimba, Johnny, Pedro, Deloffre, Steeves, Cacahuète, Lewis, jusqu'à l'inénarrable Bernardo. Un à un, ils pénétrèrent dans la baraque où était logé le service d'embauche. Après une attente variable, ils furent reçus, toujours un à un, par le secrétaire d'O'Brien.

Là, un autre scribe prit note de leurs noms, prénoms, nationalités, domiciles, et d'un tas d'autres renseignements semblables. Johnny fit ensuite observer à ses copains que tout ça ne pouvait même pas figurer sur une pierre tombale. Ils remplirent un questionnaire de quatre pages et reçurent en échange une convocation pour l'après-midi.

Plusieurs d'entre eux avaient vécu de longues années dans des pays de pétrole. Aussi avaient-ils fait le recoupement avec la nouvelle de l'incendie survenu la veille au taladro Seize. Ils soupçonnaient tous quelle serait la nature du chargement qu'on allait leur confier. L'ombre de la redoutable nitroglycérine planait sur les châteaux en Espagne que, tous, ils commençaient à bâtir.

*
* *

Dans la salle du Corsario se forme le groupe de ceux qui s'associeront avec Gérard pour acheter la goélette. Presque tous la connaissent ; un jour ou l'autre, il a emmené chacun d'eux la visiter. Ils discutent déjà conditions de paiement, lignes, marges de bénéfices. Déjà ils sont à bord. Ils sont riches. Ils se disputent. Alors Jacques à qui personne n'a fait attention, à qui personne ne fait jamais attention, Jacques, soudain debout, se met à crier :

— Fous ! Vous êtes tous fous ! Vous êtes combien à vouloir partir ? Combien à partir en fait ? Tu seras commandant, Gérard ? Second, Hans ? Comprador, Johnny ? Bosco, Luigi ? Matelots, Juan Bimba, Steeves, Deloffre, Bernardo ?

Jacques, du doigt, les désigne l'un après l'autre. Ils lèvent la tête, interloqués, furieux. En face de chacun d'eux Jacques crie :

— Mort ! Mort !

— Morts, tous morts, conclut-il.

— Il est complètement con.

— Je suis peut-être con, mais je sais de quoi je parle. Je l'ai fait, moi, ce boulot, et avant vous. Il y a cinquante pour cent d'explosions par transport, vous le savez ? Un mort sur deux. Et vous voilà en train de faire des projets d'avenir !...

Il est près de pleurer. Il se tord les mains. Sa lèvre inférieure est gonflée. Elle pend en avant de sa bouche de vieux. Les autres font des figures renfrognées : des gosses à qui un père bougon serait en train de prédire qu'ils finiront mal.

— Vous me regardez ; vous vous dites que je suis un vieux, que je radote. Vous savez mon âge ? Trente-huit ans. Voilà ce qu'il a fait de moi, le travail dangereux et bien payé que vous offre la Crude. Voilà.

Il pleure en retroussant sa manche. Sur son bras décharné tremble à la place du biceps un petit muscle ridicule.

— Il meurt un homme sur deux. Deux morts. Et les autres aussi misérables qu'avant. Ceux qui n'auront pas obtenu le job et ceux qui auront attrapé la peur comme on attrape la vérole, pour la fin de leurs jours, pour toute leur vie. Et quelle vérole, la peur !

Les autres détournent le regard. Ils sont choqués, gênés.

— Le fait est que nous sommes là comme des enfants à discuter le bout de gras pour du vent, dit Gérard. Ça n'a guère de bon sens.

— S'il n'aime plus ça, ça n'est pas une raison pour en dégoûter les autres, grommelle Hans.

***

De quelle couleur est donc la peur ? Sûrement pas bleue, toujours. Blanche ? Grise ? Chinée rose et vert ?

La peur est un liquide incolore, inodore et insipide.

***

L'après-midi, ils furent reçus par O'Brien en personne qui les regardait entrer avec un peu d'inquiétude. Quand ils furent massés devant lui, il se sentit rassuré : tous plus jeunes que lui ; pas un de sa génération. Il n'en reconnaissait aucun.

Il se tenait debout derrière son bureau de bois clair. Il fumait un cigare noir du pays. A portée de sa main droite, il avait un verre de chimiste en forme de cornet ; dedans, un liquide huileux arrivait à peine au tiers de la hauteur.

— *Guys*, dit l'Irlandais, je pense que vous comprenez tous l'anglais...

Les hommes se regardèrent les uns les autres. Il n'y avait pas de Guatémaltèques parmi eux.

— Pour une fois que c'est en notre faveur que la chasse est gardée, murmura Gérard à l'intention de Johnny, je me réjouis.

L'Irlandais tira une grosse bouffée sur son cigare et reprit :

— J'ai voulu vous parler moi-même pour qu'il n'y ait pas de malentendu. J'ai besoin de quatre chauffeurs pour conduire à pied d'œuvre au derrick Seize deux camions chargés de quinze cents kilos de nitroglycérine. Mes camions sont tout ordinaires, sans amortisseurs compensés, sans dispositif spécial de sécurité, en excellent état, rien de plus.

Les hommes écoutaient sans grande attention. Jusqu'à présent, ils s'ennuyaient. Ces Yanks étaient tous les mêmes : enragés de discours familiers pour distribution de prix rédigés selon les méthodes de Dale Carnegie. La jambe...

— La nitroglycérine, poursuit le gros O'Brien, en voici.

Il prit dans sa main droite le verre qui était posé sur le bureau et le souleva doucement jusqu'à la hauteur de son épaule.

— Ça n'a l'air de rien, c'est dangereux. D'abord, à une température de quatre-vingts degrés, c'est absolument instable ; en clair, ça signifie que ça pète pour un oui ou pour un non. Et au moindre cahot un peu sec, ça pète aussi. Regardez...

Vingt têtes se penchèrent, se tendirent en avant d'un même geste. Le vieux inclina le récipient.

Quelques gouttes affleurèrent au bord, débordèrent. Lorsqu'elles arrivèrent sur le plancher de bois, une pétarade sèche retentit. Quelques bouffées de poussière se soulevèrent.

« Merde », dit l'un des hommes avec admiration.

— Ici, c'est sans importance, poursuivit O'B. Si ça vous arrive avec deux ou trois cents kilos d'explosif aux fesses, vous êtes du moins assurés de ne pas souffrir.

Les hommes rirent. Souvent, cette hilarité collective est signe de servilité. Dans les circonstances, dans la situation présente, c'était juste un accès de bonne humeur entre hommes rudes contents d'avoir trouvé aussi dur qu'eux.

— Voilà, reprit le boss. La seule précaution qui pourra être prise, ce sera de remplir à ras les récipients, de manière que ça ne ballotte pas. En y allant prudemment sur les pédales, comme pour une jeune mariée ; en scrutant chaque pouce du terrain où vous allez poser vos roues ; en surveillant constamment la température de la charge, et enfin avec de la veine, vous pourrez y arriver sans anicroche. Du moins, je le souhaite. Je sais que tout ça n'est que baratin pour la plupart d'entre vous. Si, néanmoins, après mes explications, il y en a qui ne se sentent plus disposés à prendre le risque, ils n'ont qu'à s'en aller.

Il avait fini son cigare. Il marqua un temps, en ralluma lentement un autre, en affectant de ne pas regarder les tramps. Beaucoup attendaient simplement la suite de son discours. Mais vers le fond se formait un parti de la défaite. Six hommes quittèrent les lieux. Parmi eux, Steeves qui tout à l'heure, au Corsario, était le plus enthousiaste des candidats à la goélette.

— Vous ne naviguerez pas sous mes ordres, nonsieur le déballonné, lui cria Gérard d'un ton noqueur.

— Ça vaut mieux que de ne plus jamais naviguer lu tout, répondit l'autre en haussant les épaules.

— Naturellement, vous aurez un examen à oasser.

O'B. avait repris le fil de son discours :

— Nous n'offrons que quatre emplois, et nous ommes obligés de ne prendre que des gars vraiment parfaits. Ce que j'appelle des chauffeurs. Nous engageons cinq mille dollars par camion sur otre chance. D'ailleurs, c'est aussi votre intérêt. Jn dernier mot : Vous serez très bien payés, mille lollars par voyage de cinq cents kilomètres. Vous evenez à vide en douze heures. Rien que ce tarif ous dit suffisamment que ce n'est pas du sucre.

Il traversa les rangs des candidats à la mort ubite et sortit. Ils le suivirent. Un camion attenait devant la porte. C'était un camion à ridelles rdinaire, mais du même modèle que celui qui ervirait pour le transport d'explosif.

— Montez tous derrière et en route, dit l'Irlanais.

Il se mit au volant pour emmener ses gars hors u camp. Lorsqu'ils passèrent devant la Policia, le oldat de garde, intrigué, s'avança en travers de la oute, les bras en croix . Il avait énormément l'air 'un zamuro (1).

O'Brien ralentit, s'arrêta à sa hauteur. Le soldat 'avança et salua.

— Où vont ces messieurs ? demanda-t-il au chef e camp.

(1) Oiseau qui tient du corbeau et du vautour.

— Où ça me plaît, répondit celui-ci avec affabi lité.

Et il embraya. Le soldat essaya une timid protestation. Sa voix fut couverte par les cris de tramps qui l'injuriaient dans sa propre langue

— *No joda ! Carajo ! Cuanto payas, maricon*

A la sortie de la ville, le boss engagea le camio sur un terrain vague et s'arrêta. Il sortit une liste d sa poche, se posa un crayon sur l'oreille et appela

— Pilot.

Un homme enjamba la ridelle de gauche.

— C'est moi.

— Prenez le volant, mon vieux. Allez jusqu'à l cabane à lapins, là-bas, faites demi-tour entre le barrières et revenez.

Pilot se met au volant, s'assied bien à fond sur l siège, balance de droite à gauche le levier d vitesses pour s'assurer qu'il est bien au point mort débraye quand même par acquit de conscience appuie sur le démarreur. O'B. retire son cigare d la bouche et dit :

— Vous êtes censé vous balader avec, derrièr vous, attachée à vos fesses, une camelote qui pète la première secousse. Allez-y.

Le pied se relève sur la pédale de gauche.

Le Français donne un peu de régime, pas trop juste assez pour ne pas caler. Le camion se met e route comme s'il glissait dans du beurre. Là-hau les hommes attendent une fausse manœuvre, un secousse qui éliminera celui-là. Pris d'impatience et aussi d'inspiration, Johnny frappe tout à coup, la volée, du plat de la main sur le toit de la cabine C'est le signal par lequel, dans toute l'Amériqu latine, les péons qui voyagent sur la plate-form invitent le chauffeur à s'arrêter. Ça réussit. U coup de freins bloque net deux tonnes de ferraille

.es passagers du plateau se retrouvent entassés à 'avant, contre la cabine. La voix de l'Irlandais 'élève :

— *Well,* Pilot. Si vous aviez eu la charge véritable, vous étiez mort. Vous pouvez descendre.

L'autre claque la portière et regagne la ville à grands pas. Tas de salauds, tas de salauds. Il se etourne pour le crier :

— Tas de salauds !

— On t'emmerde, répondent les autres.

Pour qu'ils passent tous, il y en a eu pour un peu plus de deux heures.

Ceux qui ont fait une blague grossière s'en vont n à un. Quelques-uns attendent un copain : ils ne 'eulent pas parcourir seuls, à pied, le chemin du etour. Aucun ne reste jusqu'au bout. Ceux qui, au ontraire, s'en sont à peu près tirés se morfondent errière, sur le plateau, à attendre le résultat. Ce u'il y a de terrible, c'est que l'homme de la Crude e dit pas un mot. Ils sont sept à conserver quelque spoir : Gérard, Luigi, Lewis, Johnny, Juan Bimba, Hans, et, pour des raisons connues de lui eul, Bernardo. Ce qu'il y a de terrible, c'est la acherie des autres. Le truc de Johnny a fait école. Cacahuète aussi a freiné brutalement, trop brutalement, parce qu'une veste blanche a fait un vol lané sous ses yeux pour venir s'étaler devant lui. Il e s'y attendait pas. Dans ces cas-là, O'Brien 'intervient pas : toutes ces manœuvres pendables acilitent sa tâche, qui est de juger les réflexes de es hommes.

Johnny et Gérard ont partie liée. Quand ç'a été tour de l'un de passer, l'autre a empêché qu'on i joue de sales tours. Le seul qui aurait le courage 'affronter les deux compères, c'est Hans. Mais lui e s'en mêle pas. Comme du reste Gérard, qui ne

fait que laisser la bride sur le cou à Johnny, i
semble considérer ces petits trucs comme sordides.
Peut-être est-il simplement sûr de lui.

O'B. n'est pas fou. Il sait bien que des histoires
éclateront quand il annoncera les résultats. Auss
est-il décidé à ne le faire qu'une fois rentré au
camp. Le retour est morne. Ils ont les nerfs à cran.
Bien en prend sans doute au soldat de la Policia de
ne pas recommencer à les arrêter. Ce coup-ci, i
aurait pu s'en mal trouver.

*
* *

Au camp, tout au fond, du côté des ateliers de
réparations, des hommes s'affairaient autour de
deux camions qu'avait choisis le matin même
O'Brien en personne.

C'étaient des trucks à plateau d'un modèle
standard. La contenance des tanks-wagons aurai
été trop forte. A l'intérieur d'un réservoir prévu
pour trois tonnes, les quatre cents litres auraien
ballotté. On avait adopté une solution baroque
mais c'était probablement la bonne : sur des sorte
de civières d'un mètre et demi de long et de
cinquante centimètres de large, ils avaient couch
des fûts munis d'une bonde sur le dessus. Ils étaien
solidement arrimés pour faire corps avec le bâti qu
les supportait. Des cales assuraient leur stabilité e
une couche de déchet de balata complétait la
suspension. Les deux plateaux avaient été recou
verts de plusieurs épaisseurs superposées de coton
brut, de moins en moins tassées. Les fûts — deux
par camion pour le premier voyage, un pour l
second, si toutefois on voulait bien supposer qu'
ce moment-là il y aurait encore deux véhicules e

service — les fûts seraient remplis au magasin avant d'être hissés à bord.

Les mécaniciens étaient en train de régler la pression du liquide dans les amortisseurs hydrauliques. On les avait montés en vitesse pour doubler le système à ressorts. Ça, c'était le point noir : il aurait fallu des raquettes suisses, qui, seules, auraient assuré un isolement presque parfait de la caisse sur les roues, mais il n'y en avait pas ici. Aux States mêmes, les plus grosses boîtes spécialisées n'en détiennent pas toujours en stock.

O'B. était venu faire un tour sur le chantier avant de promulguer dans son bureau la liste des élus.

— Avec le flacon de whisky sur la table, ils peuvent bien attendre cinq minutes, pensa-t-il. Et pour le poids ? demanda-t-il au chef mécanicien.

Celui-ci était en train de travailler sous un camion. D'une traction il se hissa à la lumière du our. Il était en nage. En s'essuyant le front pour empêcher la sueur de lui couler dans les yeux, il étala sur son visage une traînée de cambouis. De la erre sèche était tombée de la caisse pendant que, le nez en l'air, il tirait sur la clef anglaise. Ses cheveux en étaient pleins, sa bouche aussi. Il cracha et répondit :

— C'est ce qui me tourmente le plus, boss. La charge idéale, c'est deux tonnes. Plus, il peine. Moins, il rebondit à chaque trou.

— Lestez-le.

— Ça va être long. Tout le rembourrage est déjà en place.

— Ça ne fait rien. Prenez davantage de monde. Les heures supplémentaires seront là pour un oup, quand les camions seront partis. Mais il faut que ce chargement soit sur la route à sept heures et demie. Et ces garçons ont droit à avoir toutes les chances de leur côté. Du reste, vous avez largement le temps d'ici là.

Dans le bungalow directorial, les hommes trouvaient le temps long. A l'exception de Hans, de Gérald et de Luigi, ils allaient et venaient de long en large. A sept, la bouteille de whisky n'avait pas été loin. Et O'B., vieux renard, avait donné des instructions pour qu'après, on ne leur serve plus que des jus de fruits. Tout à l'heure il allait être obligé d'en décevoir deux ou trois, et salement : il vaudrait mieux qu'ils soient à jeun.

— Qu'est-ce qu'il fout, enculé de Dieu de merde, soupira Hans.

— Vous ne voulez pas me dire comment ça a marché pour moi ? supplia Bernardo. Moi, je ne me rends pas compte...

— Aussi mal que possible, fous-nous la paix.

C'était Lewis qui se payait une saute d'humeur. Jaloux de son physique efféminé, il n'éprouvait pas de sympathie pour Bernardo. On est gonzesse comme on peut : il s'offrait aussi une petite démonstration de méchanceté.

— Parce que tu t'imaginais sans doute que tu avais l'ombre d'une chance d'être engagé, de toucher le paquet et de te casser en disant adieu aux petits copains, en les laissant bien tranquillement au bain-marie dans la cuvette pour pas qu'ils s'abîment. Eh bien, mon petit gars, faut pas y compter ; les autres ont sans doute pitié de toi, pas moi. La belle, c'est pas pour les mômes, c'est pour les hommes. Oh ! je sais. Je me fais mettre. Ça, petit, c'est mes oignons, mon oignon pour être précis. Seulement moi, j'ai de l'estomac, du caractère. Et de nous deux, s'il y en a un qui doit crever ici, c'est toi et pas moi.

— Merde ! Fous-lui la paix ! dit Gérard d'un ton las. On le sait, que tu es caïd et fier-à-bras. C'est même plutôt marrant de ta part. Quand même, ça va comme ça.

O'B. regardait un électricien occupé à installer une lampe rouge sur le toit de la cabine. Les règlements de la Crude prévoyaient tout un système de signalisation pour les camions portant un chargement dangereux. A côté de l'homme qui s'embarrassait dans ses câbles, le peintre, un mouchoir sous le nez, aspergeait la tôle au pistolet, d'un jus couleur boucherie.

— Eh, fais gaffe ! cria le type du projecteur. Ce n'est pas moi que tu dois peindre en rouge.

— Dépêchez-vous, grogna O'Brien. Martin ! Ho ! Martin, vous verrez aussi les embrayages.

Quand il entra dans son bureau, tous les regards se tournèrent vers lui. Il se rappela brusquement sa propre jeunesse. C'est d'un pas presque hâtif qu'il passa derrière la table. Il tira une liasse de papiers de sa poche et les feuilleta un instant avant de trouver ce qu'il cherchait. Gérard rompit le silence :

— Ça ne te rappelle rien, Johnny ?

— Comment ça ?

— Ta première condamnation à mort, par exemple...

Le Roumain haussa les épaules. O'Brien toussota.

— Juan Bimba, qui est-ce ?

L'Espagnol sursauta, puis regarda vers le bureau de bois clair. Il bafouilla une demi-minute avant de répondre :

— C'est... C'est moi. Pourquoi ?

Il avait crié. Fort, comme en colère. Fort, comme s'il avait peur. Ce vieux schnock appelait-il d'abord ceux qui étaient refusés ou ceux qui avait réussi ? O'Brien enchaîna :

— Vous êtes engagé. Luigi Stornatori ?

Luigi s'avança à son tour, bien calme. Il est vrai que lui, il savait que si le Yankee le nommait, c'est qu'il était pris.

— Johnny Mihalescu !

Encore un qui savait à quoi s'en tenir. Des quatre qui restaient, Gérard, Hans, Lewis et Bernardo, il y aurait forcément trois perdants. Ils se regardèrent. La haine, une haine de chacals, perçait le masque plaqué sur leurs visages de tueurs.

— Gérard Sturmer ! appela encore O'Brien.

Ça y était. C'était fini. La figure de Hans semblait taillée dans du bois de fer. Lewis jura avec son plus comique accent d'Oxford.

— Et moi ? hurla le gosse dans un sanglot. Et moi ? Vous m'avez oublié, monsieur. Je suis reçu, dites ? Je suis reçu ? Je conduis bien, vous savez. Vous n'avez pas eu le temps, tout à l'heure... J'ai un visa pour les States, monsieur, un visa...

— *Shut up,* grogna O'B. Il y a un poste de remplaçant pour le cas... le cas... d'un accident toujours possible. Dans cette hypothèse, Hans Smerloff... c'est vous ?... Vous prendriez le volant sans avoir besoin de passer un nouvel examen. Voilà. Les autres peuvent s'en aller. Ceux que j'ai appelés, restez. Nous allons voir les camions. Vous partez cette nuit. Venez aussi, Smerloff.

Par courtoisie, les élus attendirent que les perdants eussent quitté la pièce pour s'envoyer des claques dans le dos.

— *So long, boys,* dit Lewis en sortant de la pièce

le premier. Bernardo se tourna encore une fois vers l'Irlandais.

— Monsieur, ce n'est pas possible. Vous ne me prenez pas ?

— Mon pauvre garçon, je ne peux absolument rien pour vous, répondit le boss.

Il était dans ses petits souliers. Il aurait de beaucoup préféré une bordée d'injures, un échange de coups de poing sur la figure, à cette douce et indiscrète supplication.

— Tout de même, je ne suis pas une dame d'œuvres, je suis le chef de cette compagnie pour ce pays de merde. Si vous sautez, vous entraînez avec vous votre équipier d'une part, six mille dollars de matériel d'autre part. Sans vous compter vous-même. A la façon dont vous savez parler à votre pédale de gauche...

— Pédale de gauche ?

— Votre embrayage, si vous préférez... vous seriez volatilisé avant d'être sorti de la ville. Et maintenant, soyez un bon garçon : allez retrouver vos petits camarades et laissez-nous entre grandes personnes.

Le gosse restait sur place, comme hébété. O'Brien fut obligé de le pousser à l'épaule pour lui faire quitter la pièce. Il devait croire au père Noël à quinze ans passés, le môme Bernardo. Des larmes lui coulaient bien tranquillement le long des joues, sans qu'il pensât à les essuyer. Quand même il pleurait trop. Après son départ, tout le monde se sentit mieux.

Aux ateliers, ils firent le tour des camions. O'Brien les escortait comme s'il se fût agi de ses propres enfants, qui auraient le matin même emporté tous les prix à la *high school* de Toronto.

— Comment formerez-vous vos équipes ?

demanda-t-il. En principe, je ne veux pas me mêler de ça. C'est votre affaire.

Johnny et Gérard échangèrent un regard d'entente.

— Nous marchons ensemble, dit Sturmer en désignant son copain.

— O.K.

Luigi fit une sorte de moue. Sans doute aurait-il eu davantage confiance en Mihalescu qu'en Bimba, comme équipier. Enfin...

Les trucks seraient bientôt fin prêts. Leur rouge frais séchait déjà sur les tôles et commençait à briller. Une guirlande de lampes les encadrait en hauteur, à l'avant et à l'arrière. Les hommes de Martin avaient lesté à deux tonnes, conformément aux instructions d'O'Brien. Les camions reposaient d'aplomb sur l'assise solide de leurs six gros pneus. Ils inspiraient confiance. L'un après l'autre, Gérard, Johnny, Juan et Luigi se glissèrent à plat-dos par en dessous. C'est le système de suspension qui les intéressait le plus, naturellement. Mais le reste ne leur échappa point pour autant.

— Il faudra me resserrer tous les boulons des cardans à la transmission, dit Johnny. Une blague avec l'arbre, ça secoue salement.

— Et les brides de ressort, pas seulement à l'avant, à l'arrière aussi. Vous n'avez jamais été chauffeur de camion, dit Luigi au chef mécanicien. Ça se voit. Si les brides ne sont pas bloquées, au démarrage, le camion, il fait comme ça...

De la main, il dessinait en l'air un mouvement de balançoire.

— Vous allez essayer les trucks, intervint O'Brien. Il faut les tirer au sort avant. C'est plus juste comme ça.

— Il n'y a pas moyen de se jeter un godet avant

toute chose ? interrompit Johnny avec son culot roumain. Ça aussi, ça serait juste.

L'Irlandais éclata de rire. Ce sang-froid lui plaisait. Il abattit sur l'épaule de Mihalescu une main qu'aurait enviée un policier de la « mondaine » et cria :

— C'est juste, mon camarade, c'est juste. Par ici !

Le club était installé trois baraques plus loin. Ils y entrèrent en groupe sous la conduite de l'Irlandais.

— Whisky pour tout le monde, hurla O'Brien. C'est sur mon compte.

Seul Hans ne les avait pas suivis.

***

Sans présenter Smerloff comme un pur salaud, il est probablement impossible de raconter ce qu'il va faire maintenant, pendant qu'O'Brien est au bar avec ses poulains. Ce ne serait pas exact. Simplement, il s'agit d'un homme qui ne laisse rien au hasard ; et qui veut sortir de ce pays de mort où il croupit depuis trop longtemps. Ça ne peut plus durer, nom de Dieu, ça ne peut plus. Libre à un Bernardo de se contenter de pleurer. Quand on est Hans Smerloff, on n'a pas en vain accumulé un tel passé sur les épaules. On ne reste pas pris à la glu de ce pays pourri, lorsqu'une porte s'ouvre et qu'il n'y a qu'à la franchir. Le Slave ne se fait pas d'illusions sur la vraie valeur de la vie humaine. Et comme si ça ne suffisait pas, il fait appel à la plus facile, à la plus lâche des justifications : la mort d'autrui. Il est mort tant de gens qui ne le méritaient pas, des gens qu'il aimait... Sur ce thème, il se connaît, il est sûr de lui : il peut s'arracher des larmes à volonté.

Sonia, David, Aliocha... Morte, mort, mort... Ça y est. Il est prêt. Un peu d'adresse et demain, c'est-à-dire bientôt, il rentrera au Honduras, puissant, riche et considéré. Et même, au passage, il admire sa propre délicatesse : faire ça avant le tirage au sort... Il jette un regard autour de lui. Un regard qui suffirait à le trahir, s'il y avait là quelqu'un pour le surprendre. Mais le mécanicien est à une trentaine de pas en train de parler à un autre Yankee. Leur conversation animée ne paraît pas près de cesser. Du reste, d'où il se trouve, à côté de la roue avant gauche du deuxième camion, Hans peut l'observer sans risquer d'être vu. Il fait un pas vers la table à outils, Hans. Il ramasse une pince, une boîte à boulons vide. Il revient au camion. Le Yankee discute toujours avec son copain. Et même, il s'est encore éloigné un peu. Smerloff se baisse, saisit un boulon dans les mâchoires de sa pince, serre de toutes ses forces, tourne. Du tube d'amortisseur coule un liquide incolore qui sent l'insecticide. Une minute passe. Hans recueille le jus dans sa boîte, bien proprement, tout en continuant d'épier les mouvements du mécanicien. C'est vraiment un garçon soigneux, ce Hans. Quand rien ne coule plus, il essuie avec soin et remet le bouchon, le serre tout aussi dur qu'avant. Ensuite, de la pince, il arracha encore une goupille. Juste comme Hans replace la pince sur l'établi, l'Américain revient.

Avec l'amortisseur à ressort dégoupillé, au bout de cent kilomètres, ça va ficher un drôle de coup de raquette ; et ça fera une place vacante pour le remplaçant. Il est probable qu'O'Brien n'avait pas pensé à ça en désignant d'avance Smerloff.

Hans rejoignit les autres au club. Il fit une entrée

discrète et se débrouilla pour filer à l'anglaise avant le tirage au sort des voitures.

Femmelette !...

***

Linda a fait parler Jacques tout l'après-midi. Aussi sait-elle de quoi il s'agit. Avec tous les détails.

Le visage de la métisse est marqué par l'angoisse. Ses traits sont tombés. Il est impossible d'y rien lire, si ce n'est, peut-être, cette présence de la peur qui pèse sur eux, les écrase et les glace.

Elle est assise seule à une table. Un de ses habitués s'est approché, lui a parlé ; sans obtenir un mot ni même un regard. Hernandez à son tour est venu, a dit quelque chose à voix basse. Elle a tout juste hoché la tête et soupiré.

— Enfin, Linda ! Il est venu pour toi...

Le silence.

— Il va être furieux. Il ne reviendra pas...

Elle s'est levée, toujours muette, a gagné sa chambre. Le prétendant prend ça pour un tardif consentement, il la rejoint derrière le rideau. Le murmure de leur dialogue parvient jusqu'à la salle. Mais Hernandez a beau prêter l'oreille, ils parlent trop bas, il ne distingue pas les mots.

Presque aussitôt, l'homme ressort et va vers la porte d'un pas pressé, rouge, engoncé jusqu'aux oreilles dans sa propre colère. Le patron se précipite.

— Attendez une seconde, monsieur. Ne partez pas comme ça...

— Non, Hernandez, non. Cette fille de la grande putain disgraciée se fout de moi.

— Attendez seulement un instant, reprend le

patron, faites-moi la faveur d'accepter un verre de whisky.

Même pour un richard, un tel argument est de poids. L'autre s'assied au bar.

Un bruit de voix qui se rapproche. C'est un groupe nombreux où l'on discute avec animation. Gérard, Bimba, Luigi, Johnny, Smerloff et Bernardo qui les ont attendus à la sortie de la Crude poussent la porte à clairevoie et pénètrent dans la salle.

— Ça y est. On est pris ! crie joyeusement le Roumain. Paye la tournée, capitaliste !

— Mille bucks le voyage ! Plus que n'en gagne Truman !

— Pour Johnny et moi, rien que du café, dit Gérard. Nous faisons équipe. Il a assez picolé comme ça pour aujourd'hui.

Linda est sortie de sa chambre. Le chagrin lui fait une vilaine démarche. Mais, avant qu'elle ait rejoint Sturmer, Hernandez s'est penché à l'oreille du Français. Celui-ci lance vers la métisse un regard froid.

— Linda !

Elle reste immobile, arrêtée net par cette voix de métal, pesante et grise, mate.

— Linda, va avec ce type.

Il n'a pas élevé la voix. Elle aurait bien des choses à dire, et même à crier ; mais elle reste muette, paralysée, impuissante. Injuste comme c'est sa fonction, le Seigneur a prononcé sa sentence. Ce n'est pas la peine. Il est trop dur, et surtout trop lointain. Elle ne pourra même pas essayer de le retenir, de le sauver ; il partira cette nuit sans avoir écouté un seul mot de ses craintes, de son angoisse... de son amour. Elle s'avance d'un pas vers le Guatémaltèque qui, du haut de son tabouret de bar, a suivi la scène avec une indifférence qu'il eût voulue hautaine. Elle a des yeux désespérés de singe tuberculeux, et une moue de sanglots contenus lui gonfle la lèvre inférieure. Le client la regarde en silence. Puis il se tourne vers Sturmer.

— *Muy agradecido, caballero,* murmure-t-il avec une courtoise inclinaison de tête.

Il touche Linda au coude et la pousse d'un petit geste vers l'alvéole dont le rideau écarté laisse voir le lit qui attend.

*
* *

Plus tard, bien après le départ du client, Gérard à son tour a rejoint Linda.

Il tire les rideaux de l'alvéole. Elle se tourne vers lui. Des larmes lui coulent des yeux, mais son visage reste figé. Aucune moue, aucune grimace ne le déforment. Malgré elle, quoi qu'elle en ait, elle ne peut se taire.

— Tu n'en reviendras pas, Gérard. C'est trop dangereux. Ils le disent tous. Trop dangereux.

— T'occupe pas des autres. Ils voudraient tous être à ma place. Je ne suis pas seul à partir : il y a Johnny...

— Oh ! celui-là...

— Quoi, celui-là ?...

Elle se serre contre lui, appuie son ventre contre le sien ; elle le regarde de bas en haut, le visage renversé.

— Plus tu es méchant, plus je t'aime. Oh ! Gerardo.

Elle prononce son nom à l'espagnole, avec un soupir rauque et guttural, une sorte de H aspiré du fond de la gorge, sur le G.

*
* *

Le vain besoin de tout mettre en œuvre, de tout tenter, la tourmente encore. Elle reprend :

— Gérard, je t'en supplie, n'y va pas.

— Tu es folle. Voyons, j'en ai fait bien d'autres, et des plus dangereuses. Ça ne te dit rien d'être riche ? de t'en aller de ce bled de mort avec moi ? de voyager ? Toutes les femmes m'ont demandé de les emmener. Tu serais la première.

Il ajoute un mensonge :

— Ça ne te dirait donc rien de connaître mon pays ?

Elle hausse lentement les épaules. Ses seins remontent dans ce mouvement.

— Même si tu reviens, tu seras comme Jacques : d'un seul coup un vieux. Et si tu reviens et que tu ne sois pas devenu fou, et que tu sois riche, tu ne m'emmèneras quand même pas. Alors...

Depuis qu'il a vu bouger les seins de la chola, Gérard n'est plus à la conversation. Ses deux mains se posent aux épaules. Sur le rouge du tissu leur hâle paraît presque blanc. Il écarte l'étoffe qui tombe. Gérard a la gorge sèche. Il la prend aux hanches, lui courbe le haut du corps en arrière et appuie contre lui le bas de son ventre.

— Mon gringo rose et blond, gémit Linda. Ils tombent ensemble sur le lit.

*
* *

Linda ne l'a pas fait exprès. Angoisse ? Avant-goût de la mort aux lèvres de son amant ? Elle n'est pas arrivée à prendre son plaisir.

Gérard s'en est rendu compte. Tandis qu'il

rajuste ses vêtements, une sorte de colère lui fait des gestes saccadés.

Ils se taisent.

***

La salle était bruyante. De tous les coins de la ville, des imbéciles venus au Corsario payaient à boire à ceux qui bientôt seraient sans doute des cadavres. On n'a pas tous les jours l'occasion de se mêler à un tel événement. Les héros de la journée résistaient assez bien aux offres d'alcool. Seul Juan aurait été assez fou pour pouvoir se laisser tenter. Mais son coéquipier le surveillait.

Gérard avait entamé une conversation avec Smerloff.

— Fric ou pas, si je prends ce bateau, tu navigues avec moi.

Hans sourit, haussa les épaules.

— Je te remercie. Mais j'ai horreur de l'eau, et le mal de mer par-dessus le marché. De toute façon, il y aura du travail pour moi ces jours-ci.

Au tour de Gérard de hausser les épaules.

— Evidemment, le parcours est mauvais.

— Tâche seulement que ça ne soit pas toi que je remplace, fit le Slave avec un beau sourire.

Dans un coin, assis en face d'un verre de rhum qu'il devait à la générosité du patron, le gosse Bernardo traçait d'une plume appliquée des caractères d'école communale sur une feuille de papier à grands carreaux rouges. Tous les trois mots, la plume arrachait une bribe de fibre qu'il devait retirer. C'était une lettre :

« Mamma chérie,

« Je viens de trouver du travail dans une exploitation du Sud. Le patron me fait confiance et m'y envoie seul pour commander aux ouvriers. Je dois y rester deux ans. Quand je reviendrai je serai riche.

« J'ai été voir le Consul des Etats-Unis, il a été très gentil, il m'a dit qu'il me renouvellerait mon visa. Il a dit qu'on aimait beaucoup les Piémontais à Boston et que nous y serons bien reçus.

« Voilà, Mamma. Je t'écris tout ça parce que, où je vais, la poste marche mal. Tu resteras peut-être longtemps sans nouvelles. Dès que je serai rentré de l'intérieur, je t'enverrai l'argent du passage pour toi et les trois petits frères. Je t'embrasse, je vous embrasse tous, Mamma. Je pense à vous. Ça vaut mieux.

« Votre fils et frère qui vous aime.

Bernardo. »

D'un paraphe tarabiscoté le gosse enjoliva sa signature. Il lécha l'enveloppe en deux coups et y écrivit :

Signora Angelina Mattore-Salvini
Via della Speranza
Domodossola (Italia).

Puis il se leva avec une sorte de réticence. Il s'avança à travers les tables jusqu'à celle où Gérard était en train d'achever avec Smerloff une conversation inutile, une conversation d'hommes qui attendent qu'il soit l'heure...

Appuyé au dossier de la chaise où le Français était assis, Bernardo se pencha et s'essuya les lèvres d'un revers de main. Sur la peau, la salive séchée se mêla à la crasse, laissa une traînée noire.

— Je vous demande pardon...

— Fous-nous la paix !

— Laisse-le parler, reprend Gérard. Qu'est-ce que tu veux ?

— Oh, ce n'est pas pressé... Quand vous aurez fini...

Il retourna s'asseoir.

— Tiens, dit Hernandez, le patron, en posant devant lui un paquet de Chesterfield et un verre de whisky. Tiens. De la part de Gérard.

L'Italien ne leva pas les yeux.

— Tu as du feu ?

La fumée jaillit de sa poitrine en un triple jet rectiligne. Soufflée fort, elle alla loin, s'évapora sans faire de volutes.

Tabac, alcool, c'était fort, il n'y était plus habitué. Une quinte de toux le secoua, une quinte de coqueluche. Il avait l'air d'un enfant, de plus en plus. Il s'amusa à remplir de fumée son verre vide : mais ce ne furent pas des pensées d'enfant qui alourdirent son front au point qu'il le posa au creux de son bras replié sur la table. Il semblait dormir...

— Marre, j'en ai marre, j'en ai marre...

Quelques instants plus tard, Gérard vint s'asseoir devant lui. Le gosse leva lentement les yeux, détourna la tête. Il avait pleuré.

***

La nuit est tombée sur Las Piedras, sur les plages, les rives du Guayas. Au camp de la Crude les lumières des bureaux sont éteintes, et, toutes ensemble, se sont allumées les fenêtres des bungalows d'habitation.

La ville a peur. Vers la fin de l'après-midi le bruit s'est répandu du transport prévu pour la nuit, et les maisons qui bordent la route se sont vidées de leurs habitants. Puis la panique a gagné le reste de la population, et un exode vers les hauteurs a commencé. Seuls, quelques vieillards sont restés :

— S'il se passe quelque chose, ce sera la fin du monde. Pas la peine de partir, ça sera pareil partout.

Ils sont rassemblés près de l'église ; le curé y dit des prières en permanence.

A la porte du camp, un ingénieur de la compagnie empêche tout le monde d'entrer. Passé le portillon, il est défendu de fumer.

— Connerie !... grogne Bimba en écrasant sa cigarette contre le chambranle de fer. On nous a bien dit qu'en route nous pourrions fumer !

Mais les autres ne sont pas de cet avis ; ils trouvent que deux précautions valent mieux qu'une.

***

C'est au portillon que se retrouvèrent Gérard et son équipier Johnny Mihalescu. Sturmer était vêtu d'un slack gris, sorte de pyjama de nylon qu'il étrennait pour la circonstance. Largement ouverte sur la poitrine, la veste aux manches courtes dégageait les avant-bras. Au poignet gauche brillait une gourmette d'argent. Des sandales de cuir, à lanières, complétaient ce costume.

Johnny se frotta les yeux. Il lui semblait rêver. Gérard était vêtu exactement, sans un détail de plus ni de moins, exactement de la même façon que son copain de Tegucigalpa, le jour où il l'avait poignardé. Même la breloque attachée à la chaîne

— un vilain petit dieu aztèque ricanant et tordu — même la breloque était la même.

Le Roumain sentit s'insinuer, s'installer dans son âme une peur pour lui nouvelle.

*
* *

Les deux chauffeurs du premier camion avaient longtemps agité les bras par la portière avant le tournant. Le silence qui s'était fait derrière eux fut rompu d'un commun accord par tous les assistants. Le petit groupe qui avait suivi leur départ dans la rue principale, jusqu'à la sortie de la ville, revint lentement vers le camp.

— Vous voyez que ce n'est pas bien terrible, dit O'Brien à Gérard.

Mais le Français ne répondit pas.

Johnny était resté là-bas, auprès de leur camion à eux.

— Je ne tiens pas à voir ça. Ça me suffit d'avoir à le faire tout à l'heure, moi-même.

Une cabine spacieuse. Dans le filet, au-dessus de leur tête, les deux hommes avaient disposé à portée de la main les provisions indispensables : cigarettes, allumettes, sucre en morceaux, quelques biscuits. Entre eux, dans une sorte de musette, deux thermos avec du café glacé très fort, deux flacons de bon alcool, calés par un peu de linge de rechange et des chandails. Déjà l'un et l'autre habitués au tropique, ils redoutaient, comme le font les indigènes, la relative fraîcheur du petit matin.

Au plafond était fixé par quatre points de colle le carré de papier gris où l'ingénieur topographe de la Crude avait tracé leur itinéraire : une ligne zigzagante, rouge et sombre, qui ressemblait à une photo d'éclair. A côté, une sorte de tableau synoptique prétentieux était censé leur imposer un ordre de marche, avec un horaire détaillé qui prévoyait leurs moments de repos et ceux où ils devraient se relayer.

— C'est le règlement de la compagnie, avait dit O'B. d'un ton d'excuse en le leur remettant.

Et il avait grommelé une phrase mal articulée où il était question d'ânerie sanglante. Gérard, du reste, avait décidé d'arracher le papier au premier détour du chemin.

— Je prends le camion le premier, Gérard ?

— D'accord, Johnny. Vas-y.

Il restait douze minutes avant le départ. O'B. s'approcha :

— Ça va, vous autres ?

— Ça va, répondit le Français.

Mihalescu resta silencieux.

Le Roumain s'assit à sa place, tâta les commandes, les pédales, se cala sur son siège, éprouva des épaules la résistance du dossier :

— Il faudrait un coussin. Je suis trop en arrière, je vais fatiguer.

Gérard descendit, laissant la portière ouverte pour éviter de la claquer inutilement. Quand il revint, l'autre avait relevé à mi-jambe son pantalon de toile et ouvert largement sa chemise sur sa poitrine. La sueur lui coulait déjà des tempes. Ce qu'on voyait le plus de son visage, c'étaient ces traînées luisantes. Sale impression : il suait de peur.

— Tiens. Colle-toi ça derrière le dos. Ça va ?

— Ça ira...

Trois minutes, disait la montre du bord. Le silence de nouveau pesait sur eux. On eût dit qu'ils étaient tous là à écouter... Pour ceux qui allaient partir commençait déjà l'attente. Il y avait beau temps que le bruit du premier camion n'arrivait plus jusqu'à eux. Il n'y aurait eu que si...

Une minute, Johnny tendit la main vers le tableau de bord et appuya sur le bouton d'ébonite noire. Le démarreur, d'un long trait, fit son bruit d'insidieux raclement, mais le moulin n'éternua même pas. A côté, Gérard, bien enfoncé dans son siège, les deux pieds calés haut sous le tablier, attendait le départ pour fermer sa portière. Il faisait une chaleur insoutenable dans cette boîte. Avec le vent de la route ce serait déjà terrible... Alors, à l'arrêt, Johnny appuya encore sur le starter. La batterie était neuve, ça tournait très rond, mais toujours rien. Gérard déplaça une clef au tableau :

— Mets le jus, ça marchera mieux.

Johnny n'eut pas un sourire. Il pesa de toute sa force sur la pédale de gauche, de toute une force inutile : il avait tellement peur d'un accrochage dans la boîte de vitesses. Pourtant il était bien au point mort...

— Allez, vas-y, vieux. On se casse.

Johnny mit un temps fou à relever le pied. Il n'en finissait plus de trouver le point sensible de l'embrayage, qui, sur ce modèle, se trouvait tout à fait en haut. Le moulin tournait tout bas, sans régime ; avec cinq vitesses, et le démultiplicateur au pont enclenché par surcroît, on ne risquait pas de caler ; mais gare les secousses au moment de donner les gaz. Avec une douceur surprenante, comme un train de nuit de haut luxe, le camion commença de rouler insensiblement, juste au moment où O'Brien ouvrait la bouche pour lui donner le départ. L'Irlandais monta sur le marchepied et posa la main sur le bras de Gérard :

— Défendez-vous dur, garçons. Et bonne chance.

Il disparut dans la nuit. Il n'y avait plus devant le camion rouge que deux étroits canaux de lumière percés par les phares dans une mer d'obscurité.

— Cigarette ?

— Allume-la-moi.

A la lueur de l'allumette craquée à la sauvette, Gérard aperçut un instant le profil de son équipier. Les mâchoires contractées, les sourcils froncés, il faisait vraiment une sale tête. Le plus pénible était sans doute cet air d'avoir du mal à respirer. Peut-être qu'à force d'être préoccupé, il n'y pensait pas.

— Et allez, roulez ! La connerie est faite ! lança le Français avec un entrain affecté. Pas de réponse.

Ils roulaient lentement dans la rue principale. Johnny ne se pressait pas de passer en seconde, mais sur ce terrain défoncé, avec ces ornières, ces blocs de ciment cassés, cet asphalte écaillé, sans doute avait-il raison. Le pire, c'étaient les flaques, noires, miroitantes, eau croupie de mort mélangée de pétrole : les arroseuses de la Sanidad les recouvraient trois fois par semaine. Or, au fond d'une flaque, on ne sait jamais ce qu'il y a. Ni la profondeur du trou.

Devant l'église, deux hommes vêtus de toile blanche se signèrent, et une vieille femme. Le prêtre fit vers eux un grand geste confus, comme une bénédiction ou encore un exorcisme. Johnny sortit pour la première fois de son silence :

— Tas de cons. *Me cago en Dios...*

Il fit quand même le signe de croix, à l'orthodoxe, à l'envers.

— Tu ne manques pas de toc, observa Gérard.

— On ne sait jamais.

Ils passèrent ensuite devant le Corsario. Tous les

habitués étaient là, ceux qui n'avaient pas eu peur de rester, du moins. Il y en avait six ou sept sur le pas de la porte, d'autres aux fenêtres du rez-de-chaussée. Une voix cria :

— Bonne chance, les gars.

— Oui, oui, bonne chance, approuvèrent les autres.

Le premier qui avait crié c'était Smerloff.

Linda se détacha du groupe. Elle ne se trompa pas, n'hésita pas, alla directement à la portière de droite, celle où se tenait son amant ; et elle se mit à marcher le long du camion.

— Gerardo, je ne voulais pas, Gerardo...

Il ne répondit pas ; à peine il la regarda. A vrai dire, elle l'ennuyait.

— Mais maintenant que tu es parti, Gerardo, maintenant, je t'en supplie, réussis. Que la Vierge t'aide, Gerardo ! Tu es mon amour et mon homme.

Elle s'approcha davantage du camion et regarda de bas en haut le profil sombre. Ce visage qu'elle aimait et qu'elle voyait si mal. A chaque bouffée de cigarette, une petite lueur rouge l'illuminait par en dessous. Qu'il paraissait dur...

— Et n'aie pas trop confiance en Johnny, chuchota-t-elle. Ce n'est pas un homme comme toi.

Le camion prenait de la vitesse. L'Indienne commença à courir.

— Va, maintenant, Linda. Rentre.

— Que Dieu te bénisse, Gerardo.

— A bientôt.

Johnny avait pris un peu d'assurance. Il débraya, lança à vide un coup d'accélérateur et décrocha le démultiplicateur.

— Que Dieu te bénisse, cria-t-elle encore une fois.

Et elle se le répétait tout bas en se hâtant vers le Corsario où des clients surexcités l'attendaient avec plus d'impatience que de coutume.

***

Le K.B.7 aborda tout de suite les premiers contreforts des pentes qui allaient le mener au plateau de Zulaco. Il n'était pas chargé lourd, et cette première partie du trajet ne présentait pas d'embûches bien redoutables. Aussi Johnny, assuré de trouver sous ses roues un sol uni, acquérait peu à peu de l'aisance.

— Café !

Gérard défit le couvercle du thermos et remplit une timbale en matière plastique, à la fois dure et élastique. Il la tendit dans le noir à son équipier. Pas question d'allumer la lampe de la cabine, ç'aurait fait faux jour dans le pare-brise. Même la lumière des montres, au tableau de bord, avait dû être réglée spécialement à une très faible intensité.

Johnny tardait à saisir le verre. Sans doute n'avait-il point vu le geste de Gérard.

— Prends.

Pas de réponse. Comme si elles se reflétaient au mur compact de la nuit, les lampes rouges disposées en guirlande faisaient autour du camion une aura d'incendie. En noir se détachait le profil fermé, buté de Johnny. Le regard de Gérard se porta sur les mains, au volant. Elles étaient crispées, il était évident qu'il n'arrivait pas à les détacher. A droite, par deux fois, ses doigts eurent des soubresauts.

— Alors, tu le prends, ce café, ou tu me laisses comme ça toute la nuit ?

— Plus tard.

Gérard sifflota. Puis il avala lui-même le breuvage glacé, ce qui était absurde. Excellent d'être surexcité s'il avait eu quelque chose à faire, mais pour regarder un type avoir peur ; et pour avoir aussi peur que lui, probablement...

***

La peur. Elle est là, massive, présente et stupide, il n'y a pas à se le cacher. Le feu au cul, et pas pouvoir courir. Seulement, la peur, on peut tout de même quelque chose sur elle : la refuser ; une lettre recommandée du Diable, et on la refuse. Elle continue à attendre à la porte. Elle fait son lit derrière, dans le tank à nitroglycérine ; de là, elle guette. Elle fait bon ménage avec cette soupe à mort subite. Comme une paire de chats, un couple de tigres qui font semblant de dormir pour mieux choisir leur moment. Mais si c'est l'explosif qui bondit le premier, la peur sera dupée, bredouille, elle arrivera trop tard. Pourtant elle est là, tapie derrière votre dos, le train de derrière ramassé sous son ventre de grande bête bleue, apocalypse pour de vrai, elle est là, prête à sauter.

Sauter, sauter, le maître mot. Le capitaine se fit sauter avec son bâtiment plutôt que de se rendre ; oui, mais c'était à la poudre... La poudre, la grande affaire n'est pas de sauter, c'est de retomber sans se faire mal. Tandis que là, c'est le choc même qui tue : il ne reste rien. Tant qu'il y a du squelette, il y a de l'espoir ; reste du moins une forme humaine. Un squelette, c'est une marchandise, négociable et tout, même transformable : on peut vendre, acheter, habiller un squelette. Il y a des marchands de squelettes, pour les étudiants en médecine et les Facultés. Tandis que cette boue qui se dispersera...

Pris au piège comme n'importe quel héros, presque n'importe quel héros : rares sont ceux qui s'imaginent exactement, avant. Le courage consiste à continuer, quand on commence à se rendre compte. Là est la différence entre les deux hommes. Ni pour or ni pour argent Gérard ne se dédirait, ne renoncerait maintenant. Il n'y est pour rien, il n'y a aucun mérite. C'est comme ça, il est comme ça.

Gérard, ça l'embêterait de mourir, c'est une peur un tout petit peu raisonnée, une peur précise qui laisse à l'esprit toute sa puissance, toute sa vivacité pour échapper au piège. Johnny, lui, a peur tout court. C'est cette forme de panique qui ne s'oublie pas. C'est d'avoir, peut-être même une seule fois, éprouvé cette peur-là que le vieux Jacques s'est transformé en cette loque désespérée.

***

Le Roumain ne parlait toujours pas. Il conduisait avec application, mais il y avait de la nervosité dans ses gestes. Tandis que le camion grignotait la pente, il semblait craindre d'être happé en arrière chaque fois qu'il changeait de vitesse. Avec une telle puissance de moteur et une charge aussi légère, c'était absurde. Du reste, le K.B. ne peinerait un peu que lorsqu'il aborderait les trois virages en épingle de la mi-hauteur. De sales virages, d'ailleurs : coincée entre le précipice et la paroi, la route s'élevait presque à la verticale, et le rayon de braquage d'un camion lourd permettait tout juste de boucler de telles boucles en une seule fois.

— Je te mets le phare mobile ? demanda Gérard

au moment où ils allaient aborder le premier tournant.

— Non.

Mais qu'est-ce qu'il fabriquait ? Il arrêtait ? En effet, il se rangea à droite, contact coupé, tira sur le frein à main ; un coup rageur, désespéré, comme s'il y avait eu péril. Ça ne rata pas ; la masse du truck qui, à peine immobilisée, commençait à reculer imperceptiblement, bloquée net, oscilla d'arrière en avant sous l'action brutale des mâchoires d'arbre. Du coup, le cœur de Gérard fit dans sa poitrine un bond bien plus considérable.

— Eh ! Qu'est-ce que tu fais ?

— Je vais pisser.

Sûr que c'était un mensonge ! Trop de café, trop d'énervement : Gérard, resté dans la cabine, n'eut pas honte d'écouter.

Et, en effet, Johnny ne pissait pas. Il avait eu peur du virage. Il avait voulu, soit passer le démultiplicateur avant, à l'arrêt, soit plus simplement laisser le volant à Gérard pour le sale passage.

Il revint à la hauteur de la cabine en affectant de se reboutonner.

— Tu me reprends un peu, vieux ? Je commence à être fatigué.

Fatigué à dix-sept kilomètres du départ ! Gérard se glissa sur la banquette en face des commandes. Sous les fesses, là où il n'y avait pas de coussin, le cuir était trempé. Heureux encore que ce fût seulement de la sueur.

— Monte !

— Non... Je vais faire quelques pas, ça me détendra. Attends-moi après les tournants...

— Salaud.

Pour appuyer sur le démarreur, Gérard coupa

toutes les lumières, sauf les guirlandes rouges de la caisse, alimentées par une batterie distincte. Le moteur ronfla ; il remit les phares. L'absence de son coéquipier allait le gêner : le projecteur mobile n'était pas synchrone avec la barre de direction, il aurait à le manœuvrer à la main, à balayer les angles pour bien voir où il mettrait ses roues. Et des mains, il n'en aurait pas trop pour le volant...

Démultiplication au pont, première... Tiens, l'autre l'avait bloqué, ce frein à main, à tirer dessus comme ça. Toujours débrayé, retenant les roues à la pédale, il accrocha le levier des deux mains. Que c'était dur... Il tirait par secousses furieuses, essayant de gagner le demi-centimètre qui lui permettrait de serrer la poignée et de repousser le tout en avant. Rien de fait, rien à faire, tout était figé ; il avait dû y aller encore plus fort qu'il n'en avait eu l'air, le frère : la poignée touchait la banquette...

— Johnny ! Eh, Johnny !

Résolument, l'autre s'abstenait de répondre. Pourtant il était sûrement là, tout près. Ça ne faisait pas trois minutes qu'il était parti.

Gérard traduisit quelques blasphèmes, directement de l'espagnol en français. Ça sonnait le plein. Puis il ramassa dans le bas-côté deux énormes parpaings, si lourds qu'il dut les remonter un par un sur la route. Un par un toujours, il les porta à la hauteur des roues avant : il fallait les engager à coups de pied sous les pneus pour limiter au maximum le recul du camion, quand le frein à main serait dégagé. Et les coups de pied, le plus loin possible de la charge...

Au début, il n'osait pas taper. La sueur lui coulait sur le front, passait les sourcils, lui tombait dans les yeux, les brûlait. Une idée lui vint : le cric.

Il retourna à la cabine, souleva la banquette, prit l'outil, le disposa sous le centre du ressort. Il pompa. Le boudin s'écrasait de moins en moins sur le sol. Quand il fut devenu parfaitement rond, Gérard approcha la cale à toucher, et dévissa d'un demi-filet la vis-soupape. La roue descendit mollement sur la pierre qui crissa contre le ciment. Et d'un.

Ainsi les deux roues avant étaient bloquées ; Gérard enleva la banquette, s'arc-bouta contre le marchepied, portière ouverte. Ses dents craquaient sous l'effort, les épaules, les tendons des doigts lui faisaient mal. Il était sur le point de lâcher, pour s'envelopper la main d'un chiffon ; mais la poignée céda brusquement.

— Ouf ! Merde, alors !...

Le souffle lui manquait. Tous ses muscles tremblaient. Il sentait quelque chose de glacé entre ses cuisses, c'était la sueur. Pourtant il n'y avait pas un souffle d'air. Son doigt du milieu était déchiré, coincé sans doute quand le levier avait cédé. Ça saignait. Il s'essuya d'un revers de main à la jambe de son pantalon, prit une cigarette dans le filet et s'assit au milieu de la route, sur la banquette qu'il n'avait pas encore remise en place.

Le tragique d'un tel incident résidait dans son insignifiance même : moins que rien, une blague. Mais dans l'atmosphère de cette nuit-ci... Et l'autre salaud ? Il n'était pas revenu.

— Je le débarque. C'est pis que de n'avoir personne. Il ira se faire voir par les Grecs. Salope...

Mais une petite voix qui n'était pas celle de la conscience, mais probablement celle de la peur aveugle, répondit à l'oreille de Gérard que ce n'était pas vrai, et qu'il eût été pis d'être tout à fait seul.

Il jeta son mégot qui ne fit pas d'étincelles mais tomba dans la nuit comme dans un trou. De fait, c'était un trou de trois cents mètres qu'il y avait à gauche de la route. Puis il replaça la banquette, s'installa au volant, remit le frein à main, mais avec précaution. Une fois démarré, il avança d'un demi-mètre et dut de nouveau descendre pour retirer les pierres qui sinon seraient passées sous les roues arrière. Quand il repartit, pour de bon cette fois, il avait perdu plus de trois quarts d'heure.

***

Le premier virage est le plus méchant, qui escalade le rocher, on jurerait à la verticale et on aurait tort : vingt pour cent, c'est bien tout. Sur sa première démultipliée, c'est-à-dire avec une lenteur incroyable, à demi-régime, le moteur gueule déjà fort, le K.B.7 s'en approche. Il a l'air, le camion, d'une grosse bête méfiante et méchante, et la montagne d'une autre, plus grosse encore, plus méchante. Un coup de phares circulaire, puis Sturmer bloque son projecteur à droite, vers l'intérieur de la courbe. Prenant un peu de champ pour rentrer dans l'axe au milieu du virage, il accélère ; tout ce que le moulin a dans le ventre, c'est le moment de le donner. Le volant court entre les mains de l'homme, le camion est une bête rétive et sournoise qui ne veut pas aller où son maître l'entraîne, lève le nez, baisse le nez, gros mufle court qui brille même la nuit, grogne et gronde, mais ne rue pas. Mordant la route, mordant le mur à pleines roues, le camion se cabre, hésite, la bête se cabre, grogne, gronde, obéit, moins forte que l'homme, obéit et passe.

***

Le camion était brusquement revenu à une pente normale ; le moteur emballé tournait trop fort pour la vitesse : seconde, troisième... Cent mètres plus loin, le deuxième virage, puis le dernier. La route redevint pour une heure sans histoires.

Pas de Johnny à l'horizon. Evidemment. Gérard cherchait la silhouette d'un homme debout, voire assis ; le Roumain s'était couché dans le fossé. Tout juste s'il ne se tenait pas la tête entre les mains.

Sturmer arrêta le camion à sa hauteur.

— Alors ?

L'autre ne répondit pas. Un coup de klaxon lui sonna aux tympans, lui fit faire un bond. Il se dressa sur un coude et leva vers la cabine une tête hagarde :

— Je... Je m'étais endormi. Oui, c'est ça : je m'étais endormi... Pourquoi ris-tu ? Je dormais, je te dis.

Gérard rigolait carrément. Ses larges épaules tressautaient dans l'encadrement de la glace baissée.

— Eh bien, moi, pendant que tu dormais, je suis descendu prendre un bain à la plage.

Son rire se figea, il ajouta paisiblement.

— Ordure !

Johnny s'était enfin levé. Pendant qu'il faisait le tour du camion, Gérard repartit sans l'attendre. Mais l'autre courut et monta en marche. Il s'assit à côté de Gérard, silencieux. Quelques kilomètres de nuit défilèrent le long des deux hommes, de cette nuit compacte qui borde les routes où vont les hommes.

— Oui, j'ai peur, dit Johnny. Pas toi, sans doute ?

Il y avait du défi dans le ton de la phrase. Ce type avait la lâcheté susceptible. Gérard ne répondit pas.

— Vous me faites marrer, les courageux. Ça te fait bander, ta propre mort. Eh bien, pas moi, mon pote. Pas moi. Foutre non.

— Qu'est-ce que tu fous là ?

— Tu le sais bien : j'achète mon billet de retour. Mais je ne croyais pas que c'était ça. Cette merde de mort à ne pas savoir quand ça sera. Parce que tu crois peut-être qu'on y échappera, toi le mec fortiche ? Tu la sens pas, la peur, assise sur ton cou et qui te fait des chatouilles le long du dos ? T'as pas de cœur, pas de tripes, pas de couilles ? Tu es dégueulasse, Sturmer, dégueulasse... Il faut être une ordure pour pouvoir supporter ça... Et c'est moi l'ordure ?... Merde.

— J'aime pas les grands sensibles, coupa Gérard. La crise de nerfs, très peu, merci. Tu vas fermer ton claque-merde ou je te sonne la gueule dans les grands prix. Allez, descends de là.

Il avait arrêté le camion au milieu de la route et, de sa place, ouvert la portière de droite. Johnny le regardait, la bouche entrouverte, et ne répondait rien, ne bougeait pas non plus, ne faisait pas mine de s'en aller. La colère de Gérard l'abandonna peu à peu. Il ne lui restait qu'envie de vomir. Il descendit de son côté et à son tour contourna le camion.

— Tu descends, dis ?

La lueur rouge des ampoules empêchait de voir

sa pâleur. Il parlait les dents serrées, très bas, d'une voix rêche.

— Non. J'ai besoin de ce fric, reprit Mihalescu d'un ton qui semblait redevenu normal.

Le Français fut interloqué. Il n'était pas doué pour comprendre autrui. Johnny enchaîna :

— J'étais fou. Je ne sais pas ce que j'ai eu. Si, je sais : je n'ai jamais eu si peur de ma vie. Mais je vais faire un effort, vieux, ajouta-t-il précipitamment. Tu vas voir. Ça va déjà mieux.

Gérard se sentit las. Les nerfs, évidemment. Et puis son doigt lui faisait mal. Il haussa les épaules.

— Reprends le volant. Je te relayerai quand la piste deviendra mauvaise.

Il s'installa à la place vide tandis que Johnny démarrait. Le camion rouge repartit dans sa nuit. Bien à lui, cette nuit-là. Ça c'était sûr.

***

Le camion rouge est un personnage étrange. Le camion rouge est un gros propriétaire. Il a deux hommes à lui, une nuit tropicale à perte de vue autour d'eux et de lui, et au-delà des attaches, des résonances dans la vie de bien des gens. Il y a un univers dont le camion rouge est le maître. Chacun son tour, fredonne le moteur à bouche fermée. Le camion rouge a des bottes et une cravache et il fait suer sang et eau à son bétail d'hommes. La vache...

— Merde, je dormais, dit Sturmer. Ça alors !...

Du coup, il en éprouva pour lui-même une estime un peu sotte. Dire que quand il raconterait ça, personne ne le croirait...

A la sortie d'un virage facile, juste au sommet de la côte, la route de ciment prit fin sans que rien l'eût laissé prévoir, comme ça, d'un coup. Au volant, Johnny faillit se laisser surprendre. Et, pour excellentes qu'aient été ses résolutions de self-control, il ficha un effroyable coup de frein, en voyant les trous et les bosses se précipiter sous ses roues. Gérard le regarda. L'autre soutint son regard, sourit et fit une petite grimace d'excuse. Bon signe. Sturmer se sentit mieux. Un homme qui riait à côté de lui. Il en fut rasséréné. Il aimait qu'on fût pareil à lui.

— Arrête, vieux. Je vais te reprendre.

Assis sur le bord de la route, les fesses sur le ciment, les pieds sur la terre de la piste, ils cassèrent la croûte.

— Le fait est, dit Sturmer, la bouche pleine, que si tous les gars qui voulaient ce boulot avaient su de quoi il retournait exactement, ils auraient été moins tristes de le rater.

— Tu parles ! Fous, ils sont, ces mecs. Le Bernardo va se mettre en l'air...

— Penses-tu !

— Il voulait m'emprunter mon Colt pour ça. Tu penses comme j'ai marché ! Pour que les gars de l'Investigation le saisissent à côté du cadavre. Les Colts, ils sont amateurs.

— Tu es sûr qu'il est décidé ?

— Je lui ai donné cent sous pour s'acheter de la corde, et je lui ai expliqué que les mecs qui se pendent meurent en prenant leur pied.

— Tu es froid, toi. Mais je comprends, maintenant... Non, je te dis, on aura tout vu...

— Quoi !

— Il m'a tapé d'une passe avec Linda. Il voulait se payer ça avant de mourir...

— Sans blague ? Tu as marché ?

— Encore une veine, pauvre gosse. J'ai trouvé

ça marrant, j'ai passé la consigne à la souris. Elle était mauvaise !

Ils jetèrent un coup d'œil au fameux tableau de marche. Ils avaient mis deux heures pour faire trente-quatre kilomètres... les plus faciles. A ce train-là, il y en avait pour deux nuits.

Ce qui les attendait maintenant allait être dur. Sur les quinze prochaines bornes, la piste était complètement défoncée, avec des trous à casser tous les ressorts d'une jeep normalement constituée. Il allait falloir les aborder un par un, toujours en première, sans jamais toucher l'accélérateur, y dérouler les boudins par centimètres, attendre la remontée de chaque roue l'une après l'autre...

Deux rubans de nuit flânaient autour du camion. Gérard tenait le volant à deux mains. Lui aussi il le cramponnait, le cerceau, mais là, on ne peut pas dire qu'il avait tort. La sueur lui tenait frais au visage. Il n'y avait rien de particulier à faire, qu'à y aller mou et à empêcher, parfois, les terribles secousses du train avant de se communiquer à la masse du camion. C'était dans l'étreinte des doigts sur le bois lisse du volant que ça se passait. Des fois, on aurait dit qu'il cherchait à se dégager, à forcer la prise à se desserrer. Juste le bon moment pour tenir ferme.

Pas de trêve, pas d'accalmie, jamais. On n'avait pas fini de passer la roue avant droite que la gauche était engagée ; et pendant ce temps-là, le train arrière commençait à s'expliquer avec le trou précédent. Gérard, assis bien droit, sifflotait et, parfois, bougeait la tête pour mieux voir. De temps en temps il respirait plus à fond, lâchait une grande, une longue bouffée d'air et s'appuyait à son dossier. Puis il se redressait et reprenait son ouvrage minutieux avec encore aux lèvres le même petit sifflet sarcastique.

— Change de disque, tu veux ? soupira Johnny. Si je le pense, moi, je ne le dis pas.

— Quoi ?

— *When you'll die I'll laugh at you...*

— C'est ça que je siffle ? Je ne m'en rendais pas compte. Phare, vieux. A droite.

L'aile avant en pleine lumière surgit de la nuit. La piste continuait droit devant, sans embûches.

— Dis donc ! Ça commence déjà, la fatigue : j'avais vu un trou.

— Arrête et repose-toi une minute.

— Non. Cigarette.

La fumée vint peupler la cabine entre ces deux hommes silencieux. Ils étaient trop occupés, Sturmer à conduire, le Roumain à avoir peur et que ça ne se voie pas.

Chacun d'eux était seul. Aucune communication à espérer. Johnny, assis sur une fesse, le nez au pare-brise, surveillait la route comme si elle allait lui sauter à la gorge ; et il conduisait aussi sur des pédales imaginaires. Ça valait d'ailleurs mieux que s'il était resté tout à fait désœuvré. Mais il avait du mal à ne pas hurler de peur à chaque mètre. Et des fois ça lui arrivait, quoi qu'il en eût :

— Attention, nom de Dieu !...

***

Gérard en a plus qu'assez, plus haut que la tête de cet homme de barre d'occasion. Mais il ne le laisse pas voir, ne lui en veut pas non plus. Il en aurait plutôt pitié. Du reste, la conduite ne demande guère que de la minutie, mais pas d'effort d'intelligence, et il est assez occupé à s'empêcher de penser. On n'est pas arrivé pour. A la sauvette, de-ci de-là, il se faisait une concession : imaginer un petit paquet de billets imprimés sur papier gras ; ou bien l'aérodrome des Caobos, à la sortie de Las Piedras, et lui devant le guichet des billets, la valise à la main. Mais bien vite, craintif, il efface et rétablit dans son crâne le vide absolu. Cahotant au ralenti, le camion rouge lui mange la route dans le creux des mains.

*
* *

— Ça sent le brûlé ! Ça sent le brûlé ! Arrête !

Il a fait un bond sur son siège, le Johnny. Pour un peu, il se cognait la tête au toit de la cabine. D'une bourrade, Gérard le repousse : l'autre essayait de lui prendre le volant dans les mains. Pour quoi faire, nom de Dieu ? Johnny s'effondre dans son coin de tout son poids, pousse un petit cri ridicule, agrippe la poignée de la porte et saute. Sturmer se contente de couper le contact et le K.B. s'immobilise de lui-même. Puis, à son tour, il descend, et vite, ça, il faut le dire. Un premier coup d'œil le rassure aussitôt : un peu de fumée blanche et puante sort de la roue avant gauche.

— Eh ! Johnny ! C'est rien ! Une roue qui chauffe !

Et comme l'autre ne se montre pas, Gérard ajoute :

— A l'avant !

Il prend sous la banquette deux clés anglaises, et une lampe électrique dans le tiroir du tableau. Le Roumain arrive derrière lui sans rien dire.

— Amène le cric. Il y en a pour cinq minutes.

Effectivement ce n'était pas grand-chose. A plat-dos sous le ressort, Johnny est en train de resserrer le boulon-soupape du lookheed lorsque son regard se pose sur un détail qui ne lui semble pas catholique.

— Eh ! Gérard.

D'une chiquenaude Sturmer envoie promener sa cigarette et s'approche.

— Qu'est-ce qui se passe ?

— Regarde donc de l'autre côté. Il n'y a pas une goupille à l'amortisseur ?

— Où ça ?

— En bas de l'amortisseur à ressort.

— Oui, il y en a une.

— Nom de Dieu ! De ce côté-ci, elle a sauté !

— Attends donc...

Et, des deux mains, le Roumain se pend au ressort, puis lâche. A gauche, le train avant rebondit de façon très perceptible.

— Il n'y a pas grand-chose comme jus dans l'amortisseur hydraulique non plus !...

Gérard a rejoint Johnny sous le camion. Un petit faisceau lumineux se brise sur le tube, sa tache jaune cerne le boulon de remplissage. Deux traces un peu en creux griffent le métal : morsure d'un outil, sans doute. Sturmer sort son mouchoir de sa poche, crache dedans, frotte. La pellicule de terre s'en va. Dessous, le métal est brillant. Les deux hommes se regardent. Pour un instant les voilà copains.

— Hein !

Un demi-tour de clé. Ça devrait pisser. Une goutte lamentable tremblote le long du boulon et ne se décide même pas à tomber.

— Et de l'autre côté ? demande Mihalescu d'une voix de feutre.

L'autre roue est suspendue normalement. Aucun coup de griffe sur les boutons, la goupille est en place. Le bouchon est bloqué dur. Mais dès que la prise de Gérard est suffisamment assurée et qu'il peut donner toute sa force, le liquide gicle.

C'est un sabotage. Pas de doute. Ils restent un instant silencieux, pas loin de trouver ça exagéré. On ne va jamais au fond de la vacherie. On trouve toujours plus salaud qu'on ne croyait possible. Monsieur Smerloff, vous avez intérêt à n'être jamais découvert... Ces deux-là seraient mauvais public.

— Il y en a, du liquide, dans le coffre ?

— Crois pas.

— Ça en tient beaucoup, à ton idée ?

— Sais pas. Une bouteille de Coca-Cola, peut-être.

— Mais on a de l'eau. Ça va aussi bien.

— Oui. A la longue, ça abîme les tubes, mais on s'en fout. Dans six mois, si on ne la change pas d'ici là...

Dix minutes plus tard, ils avaient tout remis en ordre et repartaient, après un dernier coup d'œil sur ce qu'ils pouvaient voir sans tout démonter.

***

— Quand même, dit le Roumain. Quand même... Faut pas avoir de religion !

— A y regarder de près, tu sais...

— Comment ça ?

— Ecoute, vieux. Le mec qui a fait ça, il a envie du job, d'accord ? C'est-à-dire besoin ou envie, comme tu voudras, besoin ou envie de fric, et pas un peu. Tu me suis ? Comme nous. Comme moi. Comme toi. Tu vois ce que je veux dire ?

— Eh bien...

— Tout juste. Tu es là à te redresser parce que tu as l'impression d'avoir trouvé plus dégueulasse que toi ; faut pas croire ça, mon petit gars. C'est juste une question de degré, pas davantage.

— Enfin...

— Il n'y a pas d'enfin, mon pote. Entre le mec qui a l'estomac de buter deux hommes pour du fric et toi qui veux toucher, mais qui me laisses tout le risque et te défiles à chaque occasion, je ne sais qui je préfère.

Johnny, vexé, se remit à tirer en silence sur sa cigarette. Le camion continuait de ramper à travers trous et bosses. De temps en temps Gérard essayait de le lancer jusqu'à la seconde — ce n'est pourtant pas vite, la seconde : quinze à l'heure au plus — rien de fait. Ça se mettait à danser, le Roumain verdissait, sautait d'une fesse sur l'autre ; Sturmer renonçait et relevait le pied droit. La nuit se traînait.

***

Le silence a fait son nid dans cette cabine, entre ces deux hommes. Logé à bord de ce camion, il erre au long de cette nuit, dans ce pays par lui-même effrayant. Assis sur leur poitrine, sans doute est-ce le silence qui pèse sur leur respiration, qui leur fait ce souffle court, arythmique. Ils ne parlent que pour les choses essentielles ; elles sont rares quand on traîne ça derrière soi. Les cigarettes ; quelle chaleur ! l'heure qu'il est...

— *Nunc et in hora...*

La lune frappe en plein le sol devant eux, presque à la verticale. Elle a été là tout d'un coup, sortie Dieu sait d'où. Elle a pris possession de la nuit, la reculant dans une sorte de jour blafard jusqu'aux lignes de l'horizon plat qui borde le plateau. Le cauchemar n'est plus seulement dans leurs têtes. Il s'est répandu tout autour d'eux. Chaque bosse de la piste, chaque trou prend impitoyablement son relief. Lorsque les roues en approchent, on dirait qu'elles vont avoir à mordre dans de la pierre de taille.

Alors l'appréhension creuse les reins des hommes, redresse leur taille, les jette en avant, le nez au pare-brise.

***

Chaque trou passé était un miracle ; un inquiétant miracle parce qu'on n'osait jamais s'avouer qu'il était accompli, jamais non plus qu'il se renouvellerait. Quand la roue avant abordait quelque nid-de-poule, il sautait aux yeux, à la lueur de la lune, méchant rond d'ombre aux contours nets. Gérard retirait le pied qui effleurait à peine l'accélérateur, le posait avec douceur sur la pédale de frein. L'élan du camion, ce n'était plus alors le moteur qui le fournissait, mais son propre poids au bord du trou. Il s'agissait ensuite de le laisser glisser au fond en le retenant au frein, sans caler. La roue grinçait et tournait, encore un peu, encore, encore... Le fond atteint, pas même le temps de souffler, il fallait reprendre la pédale de droite, relancer à la montée le camion dont le châssis distordu gémissait. Et tout ce temps, l'un et l'autre, Johnny peut-être un peu plus que Gérard, ils avaient peur ; ils retenaient leur souffle jusqu'à ce que ce fût fini, jusqu'à ce que le lourd véhicule fût revenu à l'horizontale. Mais une minute ne se passait pas sans que ce fût à recommencer...

Les visages étaient mouillés de sueur comme s'il y avait plu. Sur la peau luisante les gouttes glissaient facilement, hésitaient un instant à la racine des cheveux, puis se décidaient d'un seul coup et roulaient droit, tombant du front sur les chemises trempées. De temps à autre, Johnny s'épongeait avec un large mouchoir. Deux fois Gérard s'arrêta, immobilisa le K.B., profitant d'une accalmie de quelques mètres dans le chaos de la route. Alors, il s'appuyait le dos à son siège et respirait un grand coup. Il éteignait les phares.

— Cigarette.

La lueur de l'allumette éclairait deux profils sérieux. Tous les muscles du visage relâchés, Gérard tirait à petites bouffées sur le tube blanc, et le reflet du feu soulignait l'amertume de sa bouche. Johnny fumait aussi. Au coin de sa lèvre inférieure un gros pli tremblait. Les deux fois, ils repartirent sans s'être rien dit.

Insensiblement d'abord, puis de plus en plus, la piste s'améliora. Le tableau de marche, fixé au-dessus de leurs têtes comme un ciel de lit, portait, pour le tronçon qui s'achevait, une moyenne horaire de quatre kilomètres. Ils avaient mis trois heures et demie à en faire seize, ils étaient plutôt en avance.

Les trous se faisaient plus rares. Dans un quart d'heure, si Dieu leur prêtait vie, ils allaient aborder la « tôle ondulée ». C'est ainsi qu'on désigne les pistes à soubassement dur des pays tropicaux ; les pluies, à la saison, y creusent des milliers de petites rigoles dures, sans aucune profondeur, quelques centimètres à peine, et très serrées. Ce genre de sol, il faut l'aborder à une vitesse relativement élevée, quatre-vingts kilomètres au moins : alors le camion vole à la surface des cannelures sans s'y accrocher, et on roule comme sur une Nationale de France. Le hic allait consister à prendre la vitesse suffisante sans faire de dégâts. Il faudrait deux cents mètres de terrain lisse. Les trouveraient-ils ?

— Je vais te laisser le bout de bois, vieux. Je n'en peux plus.

***

Le camion s'arrêta après avoir passé un dernier trou. Ils descendirent tous les deux. Gérard était abruti. Ses yeux étaient brouillés et brûlaient ses paupières quand il les abaissait. Son doigt écorché lui faisait mal, et les autres aussi, à force d'avoir cramponné le bois laqué du volant. Il essuya ses paumes humides à son pantalon. Un peu de brise s'était levée, et, plaquant à leur dos leurs chemises mouillées, les faisait frissonner. Gérard ôta la sienne et en prit une propre dans la musette. Mais il attendit d'être plus sec pour l'enfiler ; sur sa peau nue, le vent lui paraissait maintenant tiède. Il resta un instant, la chemise à la main, à s'étirer.

Johnny démarra comme un débutant. C'est tout juste s'il ne secoua pas la berline d'un coup d'embrayage trop nerveux. Il semblait tâter les pédales comme du sable mouvant, et les vitesses lui brûlaient les doigts. Devant eux, la piste se déroulait bien à plat, tentante comme une autostrade n'eussent été ces saletés de rigoles. Les phares balayaient sous leurs roues jusqu'à deux cents mètres devant. Au tableau que le Roumain avait rallumé à éclairage réduit, l'aiguille oscillait entre quinze et vingt à l'heure. Les deux premières vitesses avaient bien passé. Il en restait encore trois…

Une bande sableuse s'amorça. Ça paraissait bien lisse, il faudrait un coup de volant sacrément maladroit pour risquer un coup de roulis, une de ces glissades de côté qui ne menacent que dans les courbes. Or la piste s'en allait tout droit jusqu'au fond de l'horizon. Même au-delà des phares, on la distinguait, plus claire que le reste de la nuit, courant devant soi jusqu'à l'extrême bord du plateau, finissant dans le ciel circulaire.

— Vas-y, vieux. C'est le moment. Mets la gomme.

Johnny n'avait pas l'air bien décidé. C'est mollement, avec réticence, qu'il chatouillait l'accélérateur. Trente-cinq, quarante. Sur la quatrième, à si bas régime, le moteur lui aussi rechignait. Si l'autre ne bourrait pas franchement sur les vitesses, c'était raté.

— Tu comptes y passer la nuit, en quatrième ? Bourre et saute à la cinq, vieux. Il te reste dix secondes et c'est fichu.

C'était fichu. L'aiguille redescendit en trois secousses. Porté par son élan, le truck tint encore la quatrième un instant sur sa lancée. La main de Johnny hésita deux fois autour du levier ; il fit une petite grimace. Son pied indécis imprima deux ou trois mouvements de faible amplitude à l'accélérateur. Puis il renonça, capitula. Gérard fit appel à tout son calme :

— Arrête-toi un moment.

Docile, le Roumain rangea le camion au bord de la piste. Il se racla la gorge, cracha par la fenêtre. Lentement il tourna la tête vers Sturmer :

— Je n'y arriverai pas. J'ai peur. Je n'y peux rien. J'ai peur.

Sturmer respira profondément. C'était presque un soupir. Ce n'était pas le moment de s'énerver.

— Tu comprends, reprit Johnny, je ne voudrais pas avoir peur. Crois bien que ça ne me fait aucun plaisir. Je veux terminer ce voyage, toucher ce fric, sortir de ce pays. Je n'abandonne pas.

— Tu n'abandonnes pas mais tu me laisses tout le boulot tellement tu pètes de peur...

— Oui. Tu vois, tout à l'heure, au moment de pousser la cinquième, j'ai cru que j'allais m'évanouir. Prendre mon pied, de peur : j'en bandais. Qu'est-ce qu'on va faire ?

Ils furent longs à trouver. Ils ne pouvaient pas continuer à rouler à trente à l'heure. Quand on a la mort aux fesses, on est pressé de s'en débarrasser. Ils ne pouvaient pas compter sur une autre piste d'envol, sablonneuse et lisse et plate comme celle-ci. Le Français descendit de la cabine. Une torche électrique à la main, il inspecta le sol, les bas-côtés. Oui, ici le camion de Luigi avait pris le départ, son élan. Les éclaboussures de sable étaient de plus en plus distantes de la trace imprimée par les pneus dans le sol meuble, comme il arrive au cours des accélérations, aux vitesses élevées. Luigi, en passant par là, avait laissé derrière lui cette indication à ses copains. Brave Luigi.

Faire demi-tour ? Malaisé. Non que ça souffrît difficulté en soi ; mais dans ce sol léger, les roues du K.B. allaient creuser ; elles laboureraient la piste. Et alors gare au coup de raquette quand ils reviendraient là-dessus à quatre-vingts. Et pourtant, rien à faire, il fallait prendre un nouvel élan. Tout ça serait long. Pourtant, bien que ça ait l'air d'être du temps perdu, ce serait du temps de gagné. Pour rouler sans secousses sur la tôle ondulée, il n'y a que deux allures possibles : dix à l'heure ou quatre-vingts. Et, une fois engagés, comment passer de l'une à l'autre ?

— Ecoute, Johnny. Je vais reculer jusqu'à la limite du sable. En marche arrière, sans mettre une miette de gaz, et sans regarder derrière moi. Tu me guideras. Moi, pendant ce temps-là, je ferai bien gaffe à ne pas sortir des traces, à ne pas faire de bosses ni de trous pour quand nous reviendrons...

— Mais...

— Non. C'est moi qui le reprendrai. Je le mènerai à la vitesse nécessaire. Et quand nous serons lancés, je te le repasserai. D'ac ?

— J'essayerai.

— Non, vieux. Là il n'y a pas d'essayer qui tienne. Tu le feras, c'est marre.

Quelque chose dans le ton de Sturmer donna à réfléchir au Roumain. Ils se regardèrent sans rien dire.

— Si ce putain de parcours n'était pas si fatigant, je le terminerais seul, tu te l'imagines. Je ne me serais pas cassé le tempérament à te reprendre après que tu m'as aussi gentiment laissé tomber quand la roue a chauffé. Mais c'est trop dur, je ne peux pas le faire seul.

— Il n'en est pas question.

— J'ai plaisir à te l'entendre dire ; mais pas pour les raisons qui t'intéressent, toi. D'un autre côté, on ne peut pas continuer à rouler en troisième sur une berline à cinq vitesses parce que monsieur est pusillanime, tu saisis ?

— Ne sois pas injuste, Gérard. Tu sais très bien que je ne suis pas plus déballonné qu'un autre. Tu me connais. Tu...

— Je... Je t'emmerde et c'est marre. La question n'est pas de ton courage en général, la question est de cet enculé de job de merde qui me file autant les flubes qu'à toi et sur lequel nous comptons tous les deux pour nous tirer d'ici. J'aimerais mieux avoir affaire à la dernière des lopes, qui, cette nuit, par un heureux hasard, ne se mettrait pas à chier dans son froc toutes les fois que le compteur marque plus de dix miles... Quand même !

— J'ai peur. Combien de fois faudra-t-il te le dire ? Malade, je suis. Malade.

Il se racla la gorge ; il n'articulait pas. Toute sa figure, devenue gélatineuse, tremblait.

— Malade, répéta-t-il.

— Malade ou pas, ce soir, c'est marche ou crève. Le bureau des pleurs, il est pas ici, il est resté à Las Piedras ; et il n'y a pas de succursale. Ecoute : si je n'avais pas besoin de toi, je t'aurais buté tout à l'heure. Buté, tu m'entends ?

— Je m'en doute, murmura Johnny.

— Je ne l'ai pas fait, premier titre à ta reconnaissance. De deux, je te traîne à ma suite dans la poursuite du fric. Car dans tout ça la nitroglycérine n'est qu'un épisode, un accessoire romanesque. Tu me suis bien. Ce qu'il y a de vrai, de solide, d'éternel dans l'histoire où nous sommes embarqués de conserve, je te le rappelle, c'est le fric, c'est marre : deux mecs qui cherchent l'argent de leur billet. Non ?

— Tu as raison. N'empêche...

— N'empêche que je ne te laisserai pas saboter notre chance à l'un et à l'autre pour une question de nerfs. Le fric serait enfoui dans la merde, tu irais le chercher avec les dents si telle était la règle du jeu, hein ? Eh bien, il n'est pas enfoui dans la merde, il est accroché à un petit pacson de mort subite, que tu portes attaché autour du cou et qui peut péter d'une seconde à l'autre. Maintenant par exemple.

— Ta gueule !

Il avait hurlé ça tout bas, le Johnny. Un souffle qui lui venait du fond des boyaux et qui avait dû lui ensanglanter la gorge en la raclant au passage. Sturmer haussa les épaules.

— Fais pas l'autruche, t'as passé l'âge. Alors, voilà ce qu'on va faire : je vais lancer cette bombe volante à la vitesse qu'il faut. Et puis je te la passe en marche. Tu ne diras pas que c'est dur, ce n'est pas de la voltige. Et ensuite, je m'installe à côté de toi et je roupille. Il n'y a rien d'autre à faire. Je ne veux pas passer ma vie attaché par la patte à ce lot de dynamite.

— Oui, mais...

— Non, Johnny. Je ne te dis pas, remarque-le, je ne te dis pas : fais ça ou sinon. Je te dis : c'est comme ça et pas autrement et c'est marre ; et tu me remercieras et si tu ne me remercies pas, c'est du même. Tu mords ?

Pas à pas, Mihalescu marchait à côté du camion qui reculait sans à-coups. La lampe du Roumain, c'était une torche de l'armée des States, un modèle à foyer réglable. A trente pas en arrière, son faisceau bien cylindrique balayait le sol. Mais la lumière oblique enjolivait chaque motte, chaque pli, d'ombres fantastiques. Et Johnny sentait croître son désarroi. Il trouvait tout méchant, ce soir, injuste. Les objets étaient d'accord, complices de la machine infernale. Tout était contre lui, trop fort pour lui ; d'accord pour qu'il cessât d'exister, pour le souffler en poussière dans le paysage.

De temps à autre, d'une pression de main, Sturmer corrigeait sa direction sans mal. Le camion était docile. Ses roues arrière le tiraient bien droit dans ses propres traces. Ça c'était très important : ne pas amorcer de fausses ornières où il risquerait de s'engager tout à l'heure, quand Gérard le pousserait. Dieu sait alors...

Ils arrivèrent au bout du sable. Le moment était venu.

***

On a vu des condamnés à mort plus rieurs que ne l'était Johnny au moment où il se réinstalla aux côtés de Gérard. Pendant que Sturmer caressait l'accélérateur d'un geste qui ne servait qu'à lui donner du courage à lui-même, la salive affluait à la bouche du Roumain.

— Est-ce que je vais vomir ?

Ça y est. Ils sont repartis. En avant cette fois. Ils ont tous les deux les yeux fixes ; Sturmer à cause de l'effort d'attention. Le moteur pousse un par un ses couplets crescendo, coupés de pauses où Johnny se sent revivre. Des silences surprenants, pendant lesquels la jambe gauche de Gérard se soulève deux fois, se repose avec un calme de pachyderme : le double débrayage ; il sait parler à sa boîte, pas à dire.

Troisième, quatrième... A part de courts paliers au moment des changements de vitesse, l'aiguille au compteur monte sans écarts : quarante-cinq, cinquante... Il reste la moitié du parcours plat pour atteindre le quatre-vingts.

Soixante. La cinquième. Ça fait au moins dix secondes que Johnny oublie de respirer. La bouche entrouverte, il regarde les mille petits traits de la piste s'engouffrer sous le camion, et la nuit qui se rue. Un peu de poussière de sable tourbillonne dans le faisceau des phares, et ces miettes arrachées à la terre entrent dans la danse, happées par la frénésie démente de cette course.

Le moulin plafonne. D'un vrai coup de pied, rageur, plus que ça : furieux, Sturmer écrase au plancher la semelle de l'accélérateur. Penses-tu. Soixante, soixante, pas un degré de plus au cadran. Il échange un coup d'œil avec Johnny. Le gars est ratatiné dans son coin, écrasé contre la banquette par la pression de ses pieds sur le tablier. Il crie, pas très fort, mais il crie. Un long hurlement pas même modulé. Il n'y peut rien, ça sort de lui tout seul.

Mais qu'est-ce qu'il a donc, ce camion ? Et l'idée jaillit aux lèvres de Gérard, il gueule de toutes ses forces.

— Le limitateur !...

Pour éviter que les chauffeurs n'imposent à leurs trucks des vitesses exagérées, les compagnies yankees plombent les carburateurs. Sûrement les mécaniciens d'O'Brien ont oublié de décacheter celui-ci, et personne n'y a pensé.

Le sable finit à trente ou quarante mètres devant. Normalement, il en faudrait au moins cinquante. Mais Gérard a déjà commencé de freiner. A soixante, pas question d'aborder la tôle ondulée. C'est la pire allure. Il faut arrêter les frais avant.

Plus fort, plus fort sur la pédale. Et pas trop fort pourtant. En appuyant, Gérard sent dans son dos, dans l'ossature de son corps, la masse de l'explosif, emportée par l'élan, qui s'arc-boute contre la paroi du réservoir — et chaque molécule fait pression dans ses veines. Il se sent lui-même poussé en avant ; le sang lui bat aux oreilles. Ça ne peut pas être la poussée du freinage. Ce doit être la peur.

Il reste dix à douze mètres de sable. Et l'aiguille marque encore vingt-cinq. C'est le serrage de la fin, le plus terrible : si le camion ne s'immobilise pas assez progressivement, la pression du liquide dans la citerne, qui n'a pas cessé de croître contre la paroi de l'avant, va revenir à l'arrière d'un seul coup. Juste un clapotement. Ça suffira... Et d'un autre côté, il faut bien que tout soit arrêté au bout du sable. Arrêté ? Mais au fait, non !

Juste en abordant le sol dur, Sturmer lâche la pédale et accroche le frein à main, à mi-course, pour qu'il aide au ralentissement, mais sans brutalité. Trois crans de crémaillère, pas plus. Ils résonnent détachés, au passage, et leur bruit tranquille donne soudain conscience à Gérard qu'il a gardé tout son sang-froid. Alors, emballant son moulin à vide de tout l'élan que permet le régulateur, il redescend à la vitesse inférieure. Ce n'est pas le moment de se tromper : il s'agit, débrayé, de trouver à l'accélérateur le régime de moteur qui correspond à la vitesse. Il faut ensuite lâcher l'embrayage sur ce régime, puis l'accélérateur, doucement. Le compteur marque encore vingt, nettement trop ; et les ailes avant avalent déjà la première rigole du sol dur.

Une série de cahots serrés secoue le train avant, à le disloquer. Si, comme tout à l'heure, les amortisseurs n'avaient pas été en place... Mais le lestage est rudement bien fait. Le frisson rageur des roues avant ne se transmet pas au reste du châssis. Et c'est un camion gentil, docile, obéissant, qui, entre les mains de Gérard épuisé, se remet comme il y a une heure à ramper sur la piste, absorbant chaque bosse à sa cadence de colimaçon domestique.

Derrière, la pression avait abandonné progressivement son maximum, son paroxysme. La peur aussi desserrait son étau, se défaisait.

Une cigarette, maintenant, ça s'imposait. Ils étaient encore une fois descendus, encore une fois silencieux. Les points rouges éclairaient par larges taches des visages vides. Ils avaient l'air sale.

— Merde ! On en bave...

Mihalescu soupira, ne répondit pas.

— Allez, vieux. On remet ça.

— Non !... Non !...

Un cri inhumain. Un cri d'homme qui meurt les tripes crevées, les tripes à l'air. Un cri de femme trop étroite en train de pousser son gosse hors de son sexe.

Sturmer l'attrapa par la chemise et le secoua à petites secousses, comme un trémolo dans ses mains de tueur. Son doigt blessé lui faisait de nouveau mal. Il gronda du fond de la gorge et serra plus fort. Le tissu céda, se déchira comme à regret.

— J'ai dit : on remet ça. Tu m'entends, gonzesse ?

— Non, Gérard, non...

Il avait une petite voix ridicule, le Johnny. Une voix de supplication, comme un gosse qui a peur d'être battu. Sturmer était pâle, il tremblait un peu. Rage, fatigue, peur passée, peur à venir.

— Ecoute, écoute-moi, enculé de merde, écoute ce que j'ai à te dire : si tu continues tes conneries, je t'assomme, je te prends sur l'épaule, je te grimpe sur la citerne et je t'attache. Comme je suis fatigué, on est sûrs de sauter tous les deux. T'as peur, hein ? T'as peur, salope. Moi aussi, pauvre cloche. Mais à ce point-là, c'est défendu par la loi.

***

En marche arrière, ils sont encore retournés à leur point de départ. Johnny agitait sa torche à une cadence d'encensoir derrière le cercueil, à tel point que Gérard n'a pu se retenir de rire et a sifflé les trois premières mesures de la marche funèbre. Plaisanterie d'un goût détestable, d'accord.

En trois coups de tournevis, ils ont fait sauter le régulateur, une étroite bande d'étain que Sturmer a jetée à terre d'un geste de colère. Brillante sous le double éclat de la lune et des phares, elle avait l'air méchant et impuissant d'un serpent-minute adolescent.

— Voilà, dit Gérard. Je te rappelle le topo : quand nous serons bien installés sur la tôle ondulée, je te passerai le bout de bois jusqu'à l'entrée de Los Totumos. Nous profiterons des bandes de ciment de l'entrée pour revenir à vitesse réduite. Jusque-là tu n'as rigoureusement rien à craindre : il n'y a ni cassis ni banquette ni trou ni rien, à condition toutefois de ne pas descendre au-dessous de quatre-vingts.

— Et si le moulin faiblit ?

— Il n'y a pas de raison ; mais si ça arrive nous sauterons et c'est marre et il n'y a pas de quoi en faire un fromage. Autre chose : je te dis tout ça dès maintenant pour que tu ne demandes pas à réfléchir, à écrire à ta mère ou à consulter ton avocat au moment de reprendre le volant. Si tu faisais ça...

***

Le régulateur supprimé, ça ne souffrait plus de difficulté. Régulièrement enlevé de vitesse en vitesse, le K.B. aborda la piste dure sans une secousse, puis prit son vol sur la surface frisée comme s'il faisait du patin à glace. Gérard, épuisé davantage encore par cette réussite qu'il ne l'avait été par son précédent insuccès, sentait maintenant le poids de la fatigue se concentrer sur ses épaules, juste à l'attache des bras ; ses paupières brûlaient plus que jamais. Le vent de la vitesse chantait dans les portières et lui soufflait au visage par le pare-brise relevé. Ça ne suffisait pas. Par deux fois, il serra les yeux de toutes ses forces et les rouvrit aussitôt brutalement. Le sommeil était là, logé par en dessous comme une poussière. Il avait besoin de dormir.

— Johnny ! Eh ! Johnny !...

— Hein ?

— A toi.

Naturellement, il n'était pas enthousiaste, le gars.

— Comment va-t-on s'y prendre ?

— Passe la jambe par-dessus les leviers, et appuie l'accélérateur par le bout de la semelle, pendant que je le colle au plancher par le bas. Tu y es ?

— Oui... Attends, je ne le tiens pas bien... Là, ça y est. Et maintenant ?

— Lève-toi le plus que tu peux et viens à ma place, sans te rasseoir. Ne t'en fais pas pour la direction, je la tiens. Tu la prendras quand tu seras installé. Du reste, ça n'est pas dangereux : la piste est droite.

Rangée autour d'eux dans les bas-côtés, la nuit courait à la rencontre du camion. Plus loin au contraire, elle semblait l'escorter. Le ronflement du moteur à plein régime, le vent, l'aiguille au cadran du tableau de bord qui marquait quatre-vingt-dix, immobile...

— Allez, vas-y ! Et n'oublie pas que si tu baisses les gaz, on fait le saut.

La passation des pouvoirs était terminée. Voilà du même coup Johnny Mihalescu lâché dans la nuit à courir il ne savait trop après quoi, après un chèque, prix de sa liberté, ou après sa propre mort ? Comme un chien avec une casserole à la queue. Mais pour une drôle de casserole, c'en était une.

— Ça ira ?

Le Roumain hocha la tête. Sans doute que ça irait. Mais ça pouvait aussi bien s'interrompre sans prévenir. Sans s'y attendre, autrement qu'en général, il pouvait aussi bien cesser de vivre. C'était ça qui le chiffonnait. Il se sentait oppressé, avec le fond de l'estomac qui aurait eu tendance à lui remonter par la bouche.

Il prit possession de son siège, de sa voiture. Au fond, jusqu'ici, il avait plutôt été passager. Le camion allait commencer à être à lui. Il se balança un peu d'avant en arrière, essaya différentes positions de ses mains sur le cercle de bois noir, puis se carra, tenant le volant ferme par le bas. Ça allait vraiment mieux.

Chacun son tour de se faire servir.

— Cigarette, vieux.

Il en tira trois longues bouffées et la jeta par la portière : cette nuit-là, le tabac avait un goût amer qu'il ne lui connaissait pas. Et malgré qu'il n'eût rien à faire, qu'à garder le camion en ligne, ce n'était pas une vitesse pour fumer !

Un peu plus tard, il se tourna encore vers Sturmer, se racla la gorge. Pas facile à dire, ça.

— Dis donc !

— Quoi ?

— Merci, pour tout à l'heure.

— Hein ?

— De ne pas m'avoir semé au bord de la route, quand je t'ai laissé seul prendre les virages. Tu es chouette, Gérard.

— Bah !

— Si. Bon mec, tu es. Mais tu verras. Je t'aiderai maintenant. Pas un peu.

— Oui, oui...

Puis, tandis que son équipier se recroquevillait dans son coin pour dormir, le Roumain se mit à fredonner une chanson que depuis sa petite enfance il croyait avoir oubliée :

De Ploësti à Giurgiu j'ai voyagé deux années
Et j'ai gagné, gagné, gagné
Douze écus d'or...

***

— *Gérard !... Eh !... Gérard !...*

Il y a plus d'une heure que Johnny conduit. Voilà deux kilomètres que la poussière s'est levée devant le camion ; oh, pas beaucoup, et à ras de terre. Ce n'est pas gênant pour la visibilité ; c'est simplement signe qu'il y a quelque chose devant. Quelque chose d'assez gros, et qui circule à vitesse réduite : sinon le nuage s'élèverait plus haut.

— Gérard ! Nom de Dieu !

Coincé, le Johnny. Coincé entre la vitesse minimum en dessous de laquelle chaque aspérité de la piste secouera ce camion jusqu'à ce qu'il vole en morceaux, et cet élan, cette même vitesse qui le jette à la rencontre d'un obstacle dont il ne sait encore rien, sinon qu'il se rapproche : la poussière devient plus dense. Ce sont maintenant des petits nuages rondelets, potelés, ourlés comme ceux qui dans les églises servent de marchepieds aux angelots.

— Gérard !

— Merde !... répond Sturmer qui se réveille enfin et ajoute tout de suite : Qu'est-ce qu'il y a ?

Devant, on ne voit pas grand-chose au-delà des

phares. La lune, qui tout à l'heure donnait en plein, a maintenant disparu. Pourtant le Français ne met pas longtemps à se rendre compte que quelque chose va se passer. Il a remarqué tout de suite les volutes de poussière. Puis, c'est cette indistincte lueur rouge un peu en avant de l'horizon. Il se frotte les yeux. Pas de doute.

— C'est Luigi qui est devant. Et il roule au pas, s'il n'est pas arrêté.

Les yeux de Johnny restent fixes. Il cherche à percer du regard le mur de la nuit pour trouver, au-delà, celui plus compact, plus dur, où il va s'écraser. Malgré lui, il soulage l'accélérateur ; la vitesse tombe dangereusement ; juste ce qu'il ne faut pas faire. Gérard lui écrase le pied au plancher.

— Ote-toi de là !

Johnny met plus d'empressement à céder sa place qu'il n'en a porté à en prendre possession. En un éclair Gérard se glisse sous lui et le relaie.

— Tu peux lâcher, j'y suis.

Mal réveillé, le Français passe la tête à la portière, se la baigne au vent qui à cette allure est presque frais. Commence la grande devinette. On dirait un jeu de mômes : si tu te trompes, tu as droit à une gifle. Et quelle gifle !

C'est trompeur et traître, la nuit. Il semble bien que la lueur se rapproche ; mais allez donc évaluer la distance avec un éclairage pareil, et en plaine encore. C'est vrai qu'il est monotone, terriblement monotone, ce plateau ; et même...

— Tu sais où on est, exactement, toi ?

— On a passé la pompe Sept il y a un peu plus de cinq minutes.

C'est vrai, il y a les pompes. Moitié guignols moitié sémaphores, elles jalonnent le tracé du pipe-line où elles maintiennent une pression constante, depuis le dernier derrick, jusqu'au môle de Las Piedras.

Quatre-vingts. Il faut tenir le quatre-vingts. Tout est là. Jusqu'au moment où on arrivera sur l'obstacle. Alors il y aura une solution à trouver.

Tenir le quatre-vingts et pourtant garder l'œil : ne pas risquer de dépasser un tronçon de route assez lisse pour qu'il soit possible de s'y arrêter.

Ce qui est mauvais, c'est que la piste est devenue étroite, deux camions n'y passeraient pas de front sans mordre sur les bas-côtés. Enfin...

Deux minutes encore. La lueur se précise aux yeux écarquillés des hommes. Johnny a le visage écrasé au pare-brise. Gérard garde la tête dehors. Ils scrutent la nuit, cherchent à percer le secret — les secrets — pourvu qu'il y en ait plusieurs... Tout d'un coup le Roumain hurle :

— Les phares se sont éteints.

— Gueule pas comme ça, c'est moi qui ai coupé. On voit plus loin sans projecteurs.

C'est vrai. La nuit tropicale n'est jamais tout à fait obscure, il y a trop d'étoiles. Gérard a repéré la ligne générale de la piste ; ce n'est pas sorcier, elle est absolument droite. Il a fermé les yeux trois secondes, et, quand il les a rouverts, le mur s'est évanoui, où se brisait auparavant le faisceau des phares. A sa place une grisaille diffuse et transparente s'étend jusqu'à l'horizon. On voit à travers comme dans des lunettes un peu trop noires. Et la première chose qui frappe le regard, c'est une guirlande d'ampoules rouges qui se déroule à deux mètres de terre, au bout de la plaine. Gérard rallume les phares.

— Nous avons le temps. Il y en a bien pour cinq minutes avant d'être dessus. Pas de pot, d'ailleurs. Une demi-heure de mieux et ils entraient à Los Totumos avant nous.

— Qu'est-ce que tu vas faire ?

— Essayer de les passer. A la vitesse où ils roulent, ils peuvent s'arrêter, eux. Et s'engager sur le bas-côté. Nous laisser la piste à nous.

— Il faudrait qu'ils en sortent presque complètement.

— Espérons qu'ils le feront...

Le klaxon entre dans le jeu. Un mugissement de déroute qui se marie à celui du vent. Les huit pistons du moteur à tour de rôle aspirent l'air dans les conduits de la sirène stridente. Les cris de la machine, d'abord inarticulés, juste hurlés, ne tardent pas à s'organiser. Un coup bref, un coup long, un coup bref, la série convenue de toute éternité entre les camionneurs de ces pistes et qui signifie :

— *Cuidado ! Cuidado !* Attention !... Attention !... Laisse-moi la piste... Laisse-moi la piste... Je passe... Je passe...

Encore un coup de charivari inarticulé. Même s'il ne prend pas le message, qu'il soit prévenu. Gueulez, les klaxons, gueulez fort, faites-lui peur si vous ne vous faites pas comprendre, gueulez !... De vrais hurlements de sirène rauques, soutenus, assourdissants...

— Ecoute un peu, arrête la trompette, dit Johnny.

Il n'y a plus que les yeux, il y a aussi les oreilles qui cherchent à saisir quelque chose. Le vacarme du vent les gêne ; à force, à force, il leur semble entendre le choc de chaque particule de sable arrachée par les roues et projetée par en dessous contre les ailes, le châssis.

Devant eux, à cinq cents mètres à peine, peut-être un peu moins, la guirlande des lampes se détache maintenant sur le ciel : ils sont si près. On n'entend toujours aucune réponse. La piste se rétrécit encore. Il ne manquait plus que ça.

Gérard reprend le klaxon. Un coup bref, un coup long. Il va recommencer.

— Ecoute, dit Johnny en lui mettant la main sur le bras.

En ce moment il est presque normal, le Johnny. Il est trop occupé pour avoir peur. Il n'a pas le temps, il oublie d'avoir peur.

— Ecoute… On dirait…

En effet. C'est une espèce d'infantile raclement de gosier, chevrotant, bredouillant et cependant rauque. C'est rythmé pourtant, à une cadence hachée. C'est un message ; il répond. Mais pourquoi ne se gare-t-il pas ? Il ferait mieux. Ils ne sont plus qu'à deux cents mètres et, à cette vitesse, ils seront vite avalés…

— Qu'est-ce qu'il dit ? demande le Roumain qui a bien saisi qu'il s'agit de morse, mais qui ne le comprend pas.

E… S… P… E… R… A… *Espera*, attendez…

— Il dit que c'est foutu. Saute ou fais ta prière.

Johnny ne répond pas mais ne saute pas non plus. Ses lèvres remuent en silence, puis il prend son visage dans ses deux mains ouvertes, linceul plus blanc que neige étalé sur son visage déjà mort. La lumière rouge se reflète maintenant sur le pare-brise. Affaire de secondes, Gérard avale plusieurs fois sa salive. Johnny jette un dernier coup d'œil et ouvre la bouche, décidé à mourir en criant.

Hurlements de klaxon. Sturmer s'y accroche comme à une bouée. Et puis ça lui fait une compagnie. Il voudrait fermer les yeux et n'y parvient pas. Il est de cette race de types qui n'acceptent jamais ; qu'il faut assommer pour les porter à l'échafaud, qui, sur leur lit de mort, discutent le prix de leurs propres funérailles avec l'employé des Pompes funèbres. Le camion de Luigi n'est plus qu'à trente mètres.

Juste à ce moment où c'est fini, où il n'y a plus qu'une seconde ou deux à vivre, un nuage de sable se détache des roues du véhicule de tête et vient aveugler Sturmer au volant. Foutu pour foutu, le Français lâche l'accélérateur, accroche doucement le frein à main au troisième cran, tâte du bout de la semelle le frein à pied. Dans le tourbillon de poussière qui s'élève en rideau jusqu'au ciel, on dirait que les lumières rouges qui, voilà à peine une seconde, se ruaient sur le pare-brise... Oui... On dirait qu'elles ne se rapprochent plus. Pour soulever une saleté pareille, il faut même que Luigi accélère. Evidemment. D'ailleurs, maintenant, il s'éloigne.

La poudre de sable les prend à la gorge. Ils toussent. Johnny s'affaire à rabattre le pare-brise, mais la vis est dure, il a du mal ; le temps qu'il y arrive, ils seront déjà arrêtés ou ils auront sauté.

Le sol est doux et lisse sous les pneus, maintenant. On roule dans la crème, bien que l'allure soit de plus en plus réduite. Si quelque obstacle ne surgit pas de la nuit et du nuage pour se mettre en travers, ce ne sera pas encore pour ce coup-ci.

La piste est de plus en plus lisse. Puis la nature du sol change encore, le roulement se fait plus ferme, plus dur. Le velouté du sable fait place à autre chose. Entre deux volutes de poussière Gérard croit reconnaître la couleur du ciment. Mais oui... C'est bien ça... Ils ne sont donc pas en pleine nature, comme ils le croyaient : le vent de sable cesse brusquement, découvrant deux bandes blanches qui se déroulent à terre comme deux lés de moquette. Au fond, à l'extrémité du faisceau que percent les phares, le camion de Luigi s'engage entre deux masures de terre battue.

Donc, Johnny a mal renseigné Gérard. Même pas foutu de donner un renseignement exact. Même pas...

— Ce n'était pas la pompe Sept que nous venions de passer quand tu m'as réveillé pour te remplacer. C'était la Six.

L'autre fait la moue, Sturmer n'a pas de goût pour les récriminations après coup. Je te l'avais bien dit et tu n'en fais jamais d'autres... Pourquoi faire, bon Dieu ?

Toutes les vitesses redescendues, c'est en première qu'ils entrent dans le village. Les rues sont désertes ; de-ci, de-là, une porte ouverte sur une pièce éclairée. Par l'entrebâillement, on a vu une famille prosternée, des vieux accroupis qui marmonnent des prières entre leurs doigts. Evidemment, ils savent de quoi il s'agit. Pourtant ils n'ont ni télégraphe ni téléphone... Mais, passé le Tropique nord, dans tous les pays du monde, les nouvelles circulent par des voies étranges, avec une promptitude dont les Européens n'ont pas encore saisi le secret.

Les deux camions se suivent à quelques mètres. En arrivant sur la grand-place, un bras fait de grands gestes à la portière du premier, se détachant en plus clair dans la lumière rouge. C'est Luigi, ou Bimba, qui fait signe qu'il va s'arrêter. Sturmer immobilise son truck sur la droite, tandis que l'autre va se garer sur la place même.

***

— Holà Bimba ! Holà Luigi !

— Qu'est-ce qui vous a pris ? demanda l'Italien.

Vous n'avez donc pas vu le mouchoir que nous avons attaché au bâti de la pompe Six pour vous indiquer de ralentir ? Pas la peine d'être deux...

— On n'était pas deux. C'est Johnny qui conduisait. Moi, je dormais.

— Hein ?

Bimba n'en revenait pas.

— J'ai été dynamitero pendant la guerre et au siège de Madrid, dit-il. On montait à l'abordage des tanks fascistes et on balançait une grenade par la meurtrière pour bousiller l'équipage ; on se baladait sous le feu des autres avec des paquets de dynamite accrochés tout autour de la ceinture, et une cigarette au bec pour allumer la mèche au moment de les lancer. Les bouteilles d'essence, je n'en parle pas, ce n'est pas tellement dangereux. Vers la fin, on remplissait des flacons de cognac avec cette soupe de mort que nous traînons aux fesses cette nuit et, quand on les envoyait à la volée, il y avait des petis morceaux de tank qui retombaient tout autour de nous. C'est te dire que, sur les trucs qui pètent, j'en connais un morceau. Mais dormir dans ce camion en marche... *Maricon Dios !* C'est une idée que je n'aurais pas eue... *Conyo !*

— Et toi, Roumain, tu ne l'as pas vu, ce mouchoir ?

— Et comment est-ce que j'aurais deviné que ça voulait dire de ralentir ?

— Pour tous les chauffeurs d'ici, le blanc, sur une piste, signifie danger. On a toujours un mouchoir, une chemise, un bout de journal à laisser derrière soi pour prévenir les copains, expliqua Bimba.

— Je ne savais pas. Je n'ai jamais conduit qu'en Europe. Et qu'est-ce qui vous est donc arrivé ?

Ce qui avait obligé l'équipe Luigi-Bimba à ralentir, c'était une saleté à l'essence qui soudain avait provoqué des ratés. Puis le moulin s'était mis à chauffer ; il leur avait fallu renoncer à atteindre d'une seule traite Los Totumos. Ils cherchaient un bout de terrain convenable lorsque après avoir dépassé la Six, ils avaient aperçu, sur la droite, l'entrée d'un chantier de réparations. Une huitaine de jours auparavant, le pipe-line avait menacé de se dessouder à cet endroit-là. La Crude avait envoyé plusieurs camions de tubes, de quoi remplacer un tronçon de trois cents mètres ; et, pour faciliter les manœuvres, un vaste terre-plein, relié à la piste par une large voie de double trafic, avait été déblayé au bulldozer.

A quatre-vingts à l'heure, Luigi avait engagé le K.B. sur cette voie de garage où il avait pu l'arrêter. Pendant qu'il réparait l'insignifiante avarie, Bimba était allé accrocher à la pompe le signal de détresse. Surcroît de précautions, il en avait accroché un autre sur un bout de bois à l'entrée du chantier. Car il savait qu'ils allaient, sortant de là en marche arrière, embouteiller la piste jusqu'au patelin sans trouver l'occasion de reprendre leur vitesse ; il fallait donc que les autres profitent du même chantier pour revenir à petite allure.

— Enfin, j'en suis de deux mouchoirs, conclut l'Espagnol. Si on cassait la graine ici ?

A peine étaient-ils attablés à la posada devant une bouteille de *chicha* de maïs avec accompagnement d'épis de maïs grillés, de pain de maïs compact et brûlé, de bouillie de maïs et d'un fond d'assiette de *carne guisada* desséchée, un vrai festin, un vieillard parut dans l'encadrement de la porte. Il était tremblant, sa voix aussi chevrotait.

— Allez-vous-en ! Emportez au diable votre

poudre infernale. Je suis le maire, et personne ici ne veut voir son village détruit pour sauver le pétrole des Yankees.

— Mais rien ne va sauter, vieux. Prends un verre de *chicha* avec nous. Nous allons repartir.

Le vieux restait debout, immobile, les yeux fixes. Il était très en colère et il avait peur. Il continuait à marmonner :

— Allez-vous-en ! Allez-vous-en !

— Assieds-toi et bois avec nous, répéta Bimba. Nous ne sommes pas Américains. Moi je suis Espagnol, lui est Italien, lui Français, lui Roumain, toi tu es de ce pays-ci et les gringos, tous tant qu'on est, on chie dessus. Pas vrai ?

— Mais, qu'est-ce qu'ils vous ont donc fait, les Américains ? demanda Johnny.

— Trop, dit le vieux. Ils viennent ici, ils achètent le pétrole, ils le paient au gouvernement ; le gouvernement fout le camp avec la caisse, il n'a plus besoin de nous, nous sommes plus malheureux et plus pauvres qu'avant. Les gringos nous font construire des routes à coups de pied au cul et c'est leurs camions qui roulent dessus ; quand nous y passons avec la charrette à âne, ils nous font payer l'amende. Ils ouvrent des écoles pour apprendre à nos enfants à lire leurs journaux, à leur obéir, à voter pour eux et à travailler pareil. Ils apportent de l'argent pour coucher avec nos femmes, après ça elles ne savent plus faire l'amour ; d'ailleurs, tout ce qu'ils leur donnent, elles le dépensent pour acheter des robes et des sacs à main en matière plastique... Nous haïssons les Yankees.

— Ils construisent des hôpitaux, ils vous soignent ! Vous étiez pourris de vérole et de paludisme quand ils sont arrivés...

— La malaria, je ne dis pas ; mais la syphilis,

nous étions tellement habitués, nous ne nous en apercevions même plus. Aujourd'hui, avec leurs piqûres, elle nous rend quatre fois plus malades qu'avant. Et si ce n'était que ça !

Il baissa la voix et prit un air de confidence. Bimba lui versa encore un verre de *chicha*. C'était le troisième, mais il devait être saturé de naissance, ça n'avait pas l'air de lui faire grand-chose.

— Ils nous prennent notre sang, chuchota le maire.

— Comment ça ?

— Vous pensez, avec toutes ces guerres qu'ils font, ils n'en ont jamais assez. Alors, comme le Guatemala est en paix depuis cent cinquante ans, toutes les fois qu'un des nôtres entre à l'hôpital, ils lui prennent la moitié de son sang.

Il regarda Bimba dans les yeux, hocha la tête et ajouta :

— Parfaitement. Si l'homme en meurt, tant pis.

Le repas s'achevait. Les quatre chauffeurs se levèrent. Ils se sentaient mieux, lestés, détendus. L'ordre des départs restait le même : l'équipe Luigi-Bimba allait repartir la première, suivie à une heure d'intervalle par Sturmer et Mihalescu.

— Vous n'allez pas traverser tout le pays ? chevrotait le maire qui les avait suivis jusqu'à la place. Vous n'allez quand même pas traverser tout le pays avec cette drogue du diable ? C'est toujours la même histoire : des étrangers sont assez fous pour accepter de mourir pour de l'argent ; et puis c'est nous qui mourons et nous ne touchons pas un sou.

Le curé s'approcha et se joignit à lui :

— Vous n'avez pas le droit de faire ça. Il y a sept cents habitants dans ce hameau. Des femmes, des vieillards, d'innocents enfants. Sur votre âme éternelle, je vous adjure...

— Merde, mais il va nous porter la cerise, ce con-là, s'écria Bimba. On n'est pas encore sautés, non ? Et même il n'y a rien de sûr à ce que ça arrive. Allez, faites pas chier les personnes, mon Révérend, on passe.

— Mais, vous n'avez pas le droit... On vous a aménagé une dérivation... Je me plaindrai à la Compagnie !

— Ça, vous savez ! Si on saute, il n'y aura plus personne ni pour se plaindre ni pour recevoir l'engueulade, et si tout se passe bien, votre plainte, vous pourrez vous la mettre où vous voudrez, ils n'en feront pas grand cas.

Luigi était Italien. Ce conflit avec un prêtre le mettait mal à son aise. Il intervint :

— Et dans quel état est-elle, la dérivation ?

— Parfaite, monsieur, parfaite, assura le curé. Ils sont passés hier avec le bulldozer ; elle est meilleure que la rue principale, bien meilleure.

— Allons-y toujours voir. Si elle est vraiment bonne, qu'est-ce que ça nous coûte ? Ce sera peut-être même plus facile pour prendre de la vitesse à la sortie.

De fait, elle s'ouvrait, bien droite et bien ratissée, à vingt mètres des premières maisons. Dans le lointain relatif de la nuit on voyait s'amorcer une grande courbe tout autour de l'agglomération. Une flèche rouge impérative, que la poussière avait cachée à Gérard lors de son entrée mouvementée à Los Totumos dans les roues du premier camion, en indiquait le début. Il n'y avait pas d'indication limitative de vitesse.

— Quand le bulldozer l'a-t-il tracée ? redemanda Luigi pour plus de sûreté.

— Hier matin ; et ils ont travaillé toute la journée, sans arrêt, répondit le prêtre. C'est l'ingénieur des transports de votre Compagnie qui l'a fait venir du taladro Cinq — et c'est comme ça que nous avons su que vous alliez passer.

Les hommes réfléchissaient. Ça ne faisait jamais qu'un détour de cinq ou six kilomètres, et sur un vrai billard, à ce qu'il semblait. La piste d'envol idéale pour retrouver la tôle ondulée de l'autre côté.

Le curé insistait. Le maire avait disparu depuis qu'il avait été question de la dérivation. Sans doute faisait-il confiance à l'éloquence de l'autre. Un prêtre est un professionnel, après tout.

Il avait une bonne figure, ce vieux en soutane. Des yeux, surtout, tendres et tristes. Et ce qu'il disait...

— Je suis un vieil homme, moi. Je n'ai pas peur. Mais ces pauvres gens, leurs maisons, leurs enfants... Je suis resté debout toute la nuit à prier pour qu'il ne leur arrive rien. Epargnez-les. Vous, vous êtes des hommes, vous saviez ce que vous faisiez en vous lançant là-dedans. Eux, ils n'y sont pour rien... Passez par ici. Moi, je vais me remettre à prier ; pour vous, cette fois.

— Passe la main, dit Bimba. Moi, des curés, j'en ai trop brûlé pendant la guerre. J'ai plus confiance.

— *Porca Madonna,* te tais-tu, *farabutto !* gronda Luigi le pieux. D'accord, Padre, nous passerons par ici.

Personne ne lui avait donné qualité pour parler au nom de tous, au Rital. Mais, après tout, il y était pour sa peau, lui aussi. Ça lui créait des droits. Personne non plus ne protesta.

— Merci, mon fils, merci pour mes brebis, reprit le vieil homme. Dieu te le revaudra. Je vais vous bénir pendant que vous partirez ; et prier pour vous tout le temps. Vous verrez : même si vous n'y croyez pas, ça vous portera chance.

*
* *

L'un derrière l'autre, les deux monstres ont reculé jusqu'à l'entrée de la dérivation. C'est sans doute le poids de la nuit sur les guirlandes rouges, les reflets rouges de leurs ombres : jamais camions n'ont paru aussi gros. Enormes, ils sont. Et leur lent, leur prudent cahotement, quand ils mordent un peu sur le bas-côté pour se mettre en ligne avec la piste, évoque les livres d'histoire naturelle, l'image d'animaux préhistoriques trop gros pour leur propre force.

Luigi est en tête. Il lance à ses copains un geste d'au revoir, fait ronfler le moulin à vide de deux coups d'accélérateur, puis redescend au régime de ralenti pour passer sa première. Le pied à fond sur l'embrayage, il se penche, la tête hors de la cabine :

— *Adios,* Padre. Et bénissez-nous bien, que nous en avons besoin.

Le prêtre recule d'un ou deux pas ; soudain il paraît très grand. Il lève les deux bras sous le ciel. La lumière des guirlandes lui fait une sorte de chasuble pourpre.

— *Benedicat vos omnipotens Deus...*

Il abaisse la main droite en un signe de croix demesuré.

— *Pater et Filius...*

Ils ont beau faire, ils écoutent. Ils sont même émus ; sauf Bimba qui, à mi-voix, jure tout ce qu'il sait de plus outrageant sur le compte de Dieu.

— *... et Spiritus Sanctus.*

— *Amen*, répond Luigi en embrayant. Sous le feu des phares, le sol blanc de la piste brille presque. La masse d'ombre du camion s'engage dans la nuit.

— Tu devrais entrer le camion sur la dérivation, dit Gérard au Roumain. On le laisserait là et on retournerait prendre un peu de repos supplémentaire au patelin. On pourrait même dormir un peu. Monsieur le Curé nous réveillerait dans une heure.

— Toi, tu ne penses qu'à ronfler, proteste Johnny en se mettant au volant.

Sturmer reste seul avec le vieillard.

— Vous ne partez donc pas tout de suite ? demande celui-ci.

— Non. Nous laissons une heure entre les deux camions, pour la sécurité.

— Mais...

Il a envie de dire quelque chose et ne le dit pas. Il a l'air curieusement contrarié. Il se tait. Gérard ne remarque rien.

Mû par Dieu sait quel souci de perfection, le Roumain s'escrime à ranger le camion en un point précis de la piste, l'arrière à toucher la flèche indicatrice. Le K.B. a beau être chargé léger, ça ne se remue pas comme une tranche de jambon. Il a sérieusement chaud, le Johnny.

Mais qu'est-ce qui se passe donc ? On dirait que le camion de Luigi revient. Pas de doute, c'est bien lui. Perché debout sur le marchepied, il y a un Indien qui tient à la main une sorte de placard de bois, un écriteau blanc à lettres noires. Avant même l'arrêt, Bimba saute à terre. Il est blême de fureur.

— Où est ce curé ? Où est cette saloperie de curé, bordel de Dieu de merde ?

— Qu'est-ce qu'il y a ? Qu'est-ce qu'il t'a fait ?

— Regarde !

Sous le nez de Gérard il brandit l'écriteau qu'il a arraché aux mains de l'Indien :

— Attention ! Vitesse extrêmement réduite ! Sol en mauvais état. Danger. Attention ! Attention !

— Voilà ce qu'il m'a fait, cette salope. Il s'est douté que si nous lisions ça, nous passerions par sa paroisse de merde, et il a eu peur pour sa précieuse petite vie, pour sa maison et pour tous ces scrofuleux qui sont son gagne-pain ! Où est-il, ce fumier, que j'en tue encore un avant de crever...

***

Des hommes du village se sont approchés. Il y a là le maire qui ne semble pas autrement bouleversé. Il est vrai qu'il était déjà si tremblotant. Gérard l'attrape par une aile.

— Mais, toi aussi, tu nous as suppliés de ne pas traverser ton village de charognes...

La figure du vieux devient triste.

— Moi, je voulais vous dire d'y renoncer, c'est tout. Mais je ne voulais pas vous lancer par là.

— Vous avez quand même enlevé l'écriteau, hein !

— Non ! Pas nous. C'est le Padre.

— Et toi aussi, vieille saloperie !

Gérard secoue ce vieillard avec rage, et il a des yeux qui crachent des gerbes d'étincelles. Mais l'autre ne se démonte pas, le regarde bien en face. Les hommes du village se sont rapprochés. Ils ont bien envie de prendre la défense de leur chef, mais ils n'osent pas. Pourtant un jeune confirme ses accusations.

— C'est le Padre qui a tout fait. Même, il y avait

un écriteau cloué sous la flèche. Regardez-y, on voit encore les trous. Il l'a arraché.

Les autres approuvent.

— Oui, le Padre l'a enlevé. Il a dit que si vous le lisiez, vous traverseriez le village...

— Nous, on voulait s'en aller dormir tous ailleurs, cette nuit, dit un autre. Mais le Padre nous l'a défendu : son église et sa maison sont juste au bord de la grand-rue. Il ne voulait pas risquer de tout perdre.

— Et si un de nous vous disait quelque chose, il a menacé de prier pour qu'il perde son bétail et que ses enfants meurent.

— Laissez-moi faire. Je me charge de tout, je les convaincrai, je les avertirai aussi des dangers de la nouvelle piste.

— Laissez-moi faire. Ce sont ses propres paroles.

— Et où est-il maintenant ?

Ils se taisent tous, l'air buté.

— Il est parti. Ne perdez pas votre temps à le chercher. Maintenant que vous avez tout et que nous sommes sortis de nos maisons, passez par le village. Nous rentrerons nous coucher quand vous serez passés.

Mais ils ne l'entendent pas de cette oreille ; surtout l'Espagnol.

— Venez, vous autres ! lance-t-il à ses copains. On le trouvera bien...

— Je reste aux camions, répondit seul Luigi. On ne peut pas les laisser seuls comme ça...

Les autres emboîtent le pas à Bimba.

*
* *

Ils n'ont pas eu à chercher bien loin. Tout naturellement le prêtre s'était réfugié dans son église. C'est là qu'ils l'ont débusqué, blotti dans l'ombre d'un pilier.

— Sors de là, lui a dit Gérard.

Mais l'Espagnol s'est interposé :

— Non. Ici. Dans sa tanière. Dans son coupe-gorge. Dans la maison de son maître. T'en fais pas, salope ! Peut-être qu'il descendra de sa croix pour prendre ta défense, l'autre fumier.

Le prêtre était plus mort que vif. Mais il ne fit pas un geste pour se protéger, ne dit mot. D'un coup de pied dans la poitrine, Bimba l'écroula à la renverse. Puis il se jeta sur lui, le retourna face contre terre et, le saisissant aux oreilles, se mit à lui frotter le visage contre le sol de ciment. De toutes ses forces. Longtemps.

— Arrête, dit le Roumain. Tu seras bien avancé quand tu l'auras tué. Tu ne profiteras même pas de ta prime.

Mais Bimba ne lâcha prise que bien plus tard. Le vieux, qui, au début, avait crié, ne respirait plus qu'à peine.

Avant de quitter l'église, l'Espagnol arracha le crucifix du maître-autel et s'en servit comme d'une masse pour défoncer la porte du tabernacle. Il dispersa les hosties à la volée entre les travées de prie-Dieu et cracha dans le ciboire.

— Je voudrais avoir envie de chier, grogna-t-il.

Quand Luigi, qu'ils retrouvèrent aux camions, apprit tout cela, il soupira.

— Ça ne nous portera pas chance... murmura-t-il.

***

Si Linda l'Indienne savait à quel point, pour celui qui a été son amant, son maître, de qui elle a été la chose toujours docile et même négligemment aimée, si elle savait à quel point, pour l'homme qui, cette nuit, roule sa bombe comme un tonneau à travers champs, elle a cessé d'exister, sans doute n'oserait-elle ni vivre en fonction de lui ni penser à lui, ni même peut-être, tout simplement, vivre ; sans doute déciderait-elle de dormir, seulement dormir, comme la Belle au Bois, jusqu'à son retour... si retour...

*
* *

Il y a quelqu'un qui fait preuve de beaucoup plus de bon sens, d'intelligence véritable, en pensant sans cesse à ceux dont il guette la mort : c'est Smerloff.

*
* *

Obéissante, Linda l'est restée à distance. Dès le départ de Sturmer, elle a accueilli Bernardo dans sa chambre.

Aussi a-t-elle été déçue et mortifiée lorsque, le lendemain matin, on a trouvé le gosse déjà froid, pendu devant la porte du Corsario.

*
* *

Ils avaient traversé le village au pas et s'étaient engagés sur la piste à une allure de colimaçon, de tortue plutôt, une tortue prudente qui regarderait à chaque fois où elle va poser sa patte. Le camion de Sturmer s'arrêta pour laisser l'autre prendre de l'avance.

Les deux hommes fumaient en silence. Il pouvait

y avoir une demi-heure qu'ils attendaient. Juste au moment où Gérard ouvrait la portière pour descendre, faire quelques pas, se détendre un peu les nerfs, une lueur immense où voltigeaient des morceaux de fer illumina d'un seul coup tout un secteur de l'horizon, puis la nuit entière. Une lumière à ne pas y croire, blanche comme un flash de photographe, en une seconde révèle chaque détail de chaque motte de terre, de chaque brin d'herbe, à perte de vue. Un soleil instantané, tout blanc, glace la vie de sa lumière froide. A peine s'est-il éteint, déferle le vacarme : déchaînement d'ondes sonores qui, faute d'un pli de terrain où s'accrocher, semblent se répercuter, se répondre sèchement, sans fin, les unes aux autres. Puis le souffle s'accroche au camion — on dirait qu'il va le tordre —, frappe à la face les deux hommes qui sont restés dehors, crible la tôle et le pare-brise de grains de sable qu'il emmène avec lui plus loin, vers le fond de l'horizon où il s'engouffre. La masse inerte du silence lui succède.

***

Johnny est affalé sur le volant. Il tient les paupières serrées comme si quelque chose d'hostile voulait encore y entrer de force. Il sursaute au déclic de la portière qu'ouvre Sturmer et murmure quelque chose de saugrenu :

— Fais pas tant de bruit.

Une minute de silence se fait toute seule dans le crâne des deux Européens. La nitroglycérine a tué leurs copains. Les premiers de quelle série ? Deux qui ont cessé d'attendre, d'espérer, d'avoir peur. Pour qui le chèque de la Crude a d'un seul coup cessé d'être une quasi-réalité, presque saisissable.

Qui sont retirés, en un éclair, du jeu et de ses aléas. Ça fera des heureux à Las Piedras, cette histoire. En attendant, à qui le tour ? Smerloff ?

Le nom traverse l'esprit de Sturmer en lettres étincelantes. Bien sûr, le voilà, le mec qui a saboté leur camion. Smerloff ! Comment diable n'y ont-ils pas pensé plus tôt ? Le curé avait béni Luigi en l'envoyant à la rôtissoire, Smerloff leur a crié bonne chance à leur passage devant le Corsario. Ça doit être un rite de la trahison.

***

Ils sont repartis. Trois, quatre kilomètres sans histoires. Johnny resté au volant conduisait. Il n'avait plus aucun ressort, il levait avec effort des jambes de plomb pour attraper les pédales. Les phares ne révélaient rien au-delà de deux cents mètres. L'un et l'autre, le Roumain au volant, Sturmer qui fumait sans arrêt, allumant une nouvelle cigarette au mégot de la précédente avant de le jeter, ils appréhendaient le moment où ils allaient se trouver nez à nez avec le charnier. L'air leur semblait lourd ; leur peur avait changé d'objet : pour l'instant — oh ! sûrement pas pour longtemps — c'était la rencontre qu'ils allaient faire qui les effrayait. Ces types qui vivaient une heure avant, qui avaient un corps comme eux, une forme, une voix... Et puis plus rien qui soit resté pour en porter témoignage. Pas de cadavres. Pis que la simple mort, ça.

***

Par rafales d'abord espacées, la piste était égratignée, éraflée, labourée. Dans le faisceau des projecteurs on voyait bien que ça allait de mal en pis, par-devant. Au commencement, c'était à peine plus mauvais que les pires tronçons du départ, après la montée. Mais ça ne tarda pas à être terrifiant. Johnny était livide. Toute la confiance qu'il avait retrouvée pendant la halte de Los Totumos l'avait de nouveau abandonné. De nouveau ses mains tremblaient ; de nouveau il s'embrouillait dans les vitesses, dans les pédales. Il passait sans raison d'une peur panique, paralysante, à des velléités de la surmonter qui ne duraient pas. Le camion subissait le contrecoup de ses humeurs et une ou deux fois ils furent bien près de la secousse définitive.

— Arrête-toi une minute, dit Gérard. C'est pas la peine de s'engager au hasard pour risquer après ça de ne plus pouvoir avancer ni reculer. On va aller voir à pied.

*
* *

Les torches à la main, tous les feux du camion en grand, phare mobile compris — c'est celui qui porte le plus loin —, ils se mirent en route à travers le terrain bouleversé. Il y a trois zones de remous. Ce qu'ils venaient de passer, ces trous serrés, mais pas profonds, c'étaient sans doute des éclats qui les avaient creusés. Un morceau de plaque de police fiché en terre, allez donc vous y retrouver, portait l'estampille de la Crude ; c'était donc de l'avant qu'il provenait, et ils étaient encore bien en arrière du cratère, du centre, du lieu même de l'explosion.

Ensuite, il y avait une cinquantaine de mètres où la terre était comme ondulée à larges crans. A les voir, on sentait qu'ils venaient de profond dans le sol. La piste était rissolée ; des vagues successives de souffle et de chaleur avaient soulevé le cailloutis en ondes figées : la pierre dans la mare et la mare qui reste la bouche ouverte, écarquillée en cercles concentriques. Si ça avait remué encore, ç'aurait été plus rassurant que ce cataclysme mort.

Plus loin enfin, le trou d'ombre. C'était là. Pas profond d'ailleurs, un peu plus d'un mètre. La déflagration avait dû être si brutale qu'elle n'avait pas eu le temps de creuser : c'est tout autour, à travers le vent, le ciel et la nuit, que fut dispersé ce qui avait été Juan Bimba, Luigi ; et avec eux un camion de six tonnes.

Le fond du cratère était de terre meuble. De terre meuble les pentes qui s'éboulaient sous le pied de Sturmer. Le Roumain était resté en haut, au bord du trou. Il semblait craindre quelque piège. De sa torche il fouillait chaque pli de terrain. Pour rappeler la présence de l'homme, il ne restait qu'une pierre plate qui portait une large macule de sang.

— Eh bien !... dit Gérard avec un soupir.

Le temps de l'oraison funèbre était fini. Maintenant il s'agissait de passer. Il remonta près de Johnny.

— Je ne peux pas. C'est inhumain. Je ne peux pas, murmurait le Roumain à voix contenue.

... Résiste à la tentation de tes nerfs et de ta fatigue, Gérard, mon frère, ne le tue pas. Recharge sur ton épaule l'inhumain fardeau de l'humaine faiblesse, files-y des baffes, accroche-le par l'alpague et secoue-le à lui décrocher les intérieurs, sois patient en un mot. Il n'y a que ça à faire.

La patience, vertu des forts. Il fallait tout reprendre dès le début, doser la peur et le sentiment de l'honneur, le convaincre en un mot d'accepter la règle du jeu qui était de mourir pour de l'argent, au point où ils en étaient. Ou du moins très probablement : il y en a qui passent à travers, parfois...

— Je te l'ai dit tout à l'heure, Johnny, et ça ne m'amuse pas de te le répéter : il n'y a pas de pouvoir ou pas, il n'y a pas d'inhumain qui tienne, tu marches et c'est marre.

— Tant pis. Je renonce. Fais venir quelqu'un d'autre.

— Y a pas de place pour ça. Un camion en l'air et l'autre équipage immobilisé par la peur, tu t'imagines qu'ils sont tombés sur la tête, à la Crude ?

— Qu'est-ce qu'ils feront ? Trois pattes à un canard ?

— Ils nous vireront ; et ils feront venir des spécialistes de chez eux. Ils auront exactement les mêmes emmerdements avec eux qu'avec nous, mais c'est pas ça qui nous rendra notre job.

— A supposer que je marche dans tes raisonnements à la graisse, nous allons passer le reste de la nuit à le contourner, ce trou. Une heure après le lever du soleil ça sera la grande chaleur, le maho qui va taper droit sur les tôles toute la journée. Cette merde de soupe saute à une température ridiculement basse..

— On sera pas là pour la voir sauter, si c'est ça. On ira roupiller plus loin.

— Comme ça ? En pleine nature ? Sans un arbre pour accrocher les hamacs ? Ma parole, tu es fou ! Et les serpents ?

— Merde ! Et la fièvre jaune ? Et le béribéri, l'arthrite des femmes enceintes et le goudou-goudou... Tu te fous de ma gueule ? Dis, Johnny, tu te fous de ma gueule ? Mais dis-le, salope ? Dis-le que je te crève ! Tu le diras, nom de Dieu ?

Chacun son tour pour la crise de nerfs. Celle-là, au moins, c'était de la colère, c'était moins sordide. On lui en avait trop fait, à Gérard, trop pour un seul homme en une seule nuit. A grandes volées, à grands allers et retours, il gifla l'autre, de bon cœur, à bras ouverts. Les lampes étaient tombées, la nuit pleine d'un grand bruit de linge battu. La figure du Roumain accrocha le faisceau d'une torche. Il était pâle malgré les coups, un comble. Il saignait du nez, un de ses yeux était gonflé, violet. Plus calmement, médicalement, Sturmer continua les gifles. Il s'arrêta quand il commença de sentir la fatigue dans ses avant-bras...

— Voilà. Et au boulot.

Johnny souffla deux fois, s'ébroua. Il n'en revenait pas : il se sentait beaucoup plus dispos. Ils retournèrent vers le camion.

— Ce qu'il faut, expliqua Gérard, c'est d'abord trouver un chemin. On va le chercher ensemble. La première chose, c'est d'approcher le camion.

Il se mit au volant, continuant de parler, la portière ouverte.

— Je vais l'emmener juste au bout du cratère. Ce n'est pas le plus dur. On verra à la lumière des phares. Les bords sont loin d'être abrupts. Peut-être qu'on peut y descendre et remonter de l'autre côté.

*
* *

Deux blocs de terre grise s'agitent dans le double cylindre blanc que lancent les projecteurs contre l'écran de la nuit. Autour d'eux vole de la poussière qui se prend à la lumière éblouissante, s'y accroche, danse, tourbillonne, tombe et remonte sans cesse. De la poussière, ils en respirent, en mangent, en crachent ; il y en a toujours autant.

Torse nu sous un vêtement de boue, sueur et terre mêlées, ils manient la pelle et la pioche à gestes lourds. Il s'agit de faire un chemin au camion, de lui construire de part et d'autre du trou une rampe, un cheminement par où il puisse descendre, prendre pied au fond, se remettre à grignoter la terre de l'autre côté, faire un rétablissement sur les roues avant, à la force du poignet, et puis reprendre son chemin.

Il n'y a pas trente-six solutions, il n'y en a même pas deux. Naturellement, l'accident s'est produit au plus mauvais endroit. La piste, sur un kilomètre en avant et en arrière, est en surplomb d'un bon mètre et bordée de chaque côté par un pipe-line qui, ainsi protégé, n'a pas été volatilisé.

Il aurait mieux pas valu : le bourrelet que forme le long serpent de fonte noire est impossible à franchir. De chaque côté, le camion est coincé comme une glissière.

Le travail de terrassement — qui constituait une trêve —, le travail pic-et-pioche, comme disent les nègres du pays, se termine. Ils raccrochent les outils au marchepied, le long des portières. La nuit ne s'éclaircit pas encore, bien qu'il soit déjà près de quatre heures : le soleil se lève toute l'année à six heures précises. Il se mettra à faire jour d'un seul coup, sans crépuscule. Mais la température a déjà fraîchi sensiblement. Pour l'instant, il fait bon au gré des deux hommes ; dans deux heures ils auront froid. Dans deux heures...

***

— Magnons-nous, dit Gérard en se hissant au volant. Il faut être de l'autre côté une heure après le lever du jour.

— Si tout va normalement, il y en a pour dix minutes.

— Normalement ! Normalement ? Tu ne sais pas encore que ça n'existe pas ?

Il tire sur le démarreur. Le moteur ronfle à petit bruit, en sifflant. L'air frais lui assure une meilleure carburation. Johnny prend quelques pas d'avance et marche à reculons, face à son copain. Avec des gestes simples, il le dirige. Les pieds, les mains de Sturmer obéissent avant même qu'il ait conscience d'avoir compris. Parfois le Roumain élève la main droite pour l'immobiliser, les deux mains si c'est urgent ; il se retourne vers le chemin qui reste à parcourir pour vérifier s'il est dans la bonne voie. Puis il fait de nouveau face à Gérard. Il a l'air de repousser l'espace de sa main gauche, de remettre l'air de la nuit à sa vraie place : c'est à gauche qu'il faut braquer. Puis un mouvement de brassage, comme une lavandière ramène à elle un drap pour le sortir de l'eau : en avant maintenant, c'est franc, tout est clair.

Le camion est docile aux mains expertes de Sturmer. Le terrain reste terriblement chaotique malgré les grands travaux de tout à l'heure. Mais si douce, si nuancée est la manière de conduire de Gérard que le châssis semble onduler, ramper entre les trous, et si les ressorts grincent parfois, aucune secousse du moins ne vient ramener entre ses sourcils le pli d'inquiétude qui accompagne les moments dangereux.

Stop ! les roues avant sont arrivées juste en bordure de la rampe de descente qu'ils ont aménagée de ce côté-ci du cratère.

— Descends maintenant et viens voir, vieux.

Les indications de celui qui est à terre sont précieuses, bien sûr. Mais ça ne suffit pas. Il faut maintenant que l'autre regarde, apprenne pour ainsi dire par cœur chaque difficulté. Il n'y a pas une motte, pas une aspérité, pas un méchant caillou à moitié sorti de terre dont il ne doive connaître par cœur la place et la forme exacte. Johnny ne peut plus lui servir que d'aide-mémoire. Non seulement la cervelle de Gérard, mais les mains qui guident, le pied de l'accélérateur et du frein, celui de l'embayage de qui dépend l'élan que le moteur transmet aux roues, chaque membre, chaque cellule de son corps ont à prendre conscience de la tâche qui les attend. Dans un instant il ne sera plus temps de demander des directives à l'intelligence : tout devra être instinct et réflexe.

Centimètre par centimètre, Gérard étudia le passage. Parfois il se baissait et tâtait le sol avec la main. C'est tout juste s'il ne reniflait pas la terre, s'il n'y goûtait pas. Au bout d'un long moment il se redressa et murmura pour lui-même :

— Je vois...

— Tu n'as pas tout regardé, lui fit observer Johnny.

— Qu'est-ce que tu veux dire ?

— Tu ne peux pas te contenter de descendre pour commencer, quitte à repérer ensuite à loisir la suite du cheminement.

— Pourquoi ?

— Le fond n'est pas dur, il est friable, moche, mou. Si tu arrêtes, tu ne repars pas.

— Embourbage, tu veux dire ?

— Evidemment...

— Merde ! Oh ! Merde ! On n'en aura pas évité une, de ces chieries de merde de pièges à con !

Evidemment, s'il fallait franchir tout le cratère d'un trait, c'était beaucoup plus dur. Ce n'étaient plus trente mètres de trajet qu'il y avait à se graver dans la rétine d'avance, mais cent, en trois parties : descente, fond, remontée. Apprendre tout par cœur, prendre son souffle, faire le signe de la croix, se lancer, s'apercevoir au bout de dix secondes qu'on a tout oublié ; impossible de redescendre, il faudrait continuer, aller jusqu'au bout, tant pis si ça casse, avec sa bonne chance sur deux de se retrouver en rideau à mi-pente, tout serait foutu, à recommencer, le camion enfoncé à mi-roues dans le sol de nouveau labouré, une journée perdue...

— Enfin... Il n'y a rien d'autre à faire, hein ? Tu es sûr que le fond est mauvais à ce point ?

— Essaye-le du pied, seulement : si tu sautes à pieds joints, tu t'enfonces.

Un coup de talon ; la chaussure resta collée, ce fut toute une affaire pour la retirer. Evidemment...

— Mais c'était bien plus solide tout à l'heure... Qu'est-ce qui a bien pu se passer, nom de Dieu de merde d'enculé de Dieu de ses morts de merde et merde ?

Johnny tâta des doigts le fond de l'empreinte qu'avait laissée le soulier de Sturmer. Puis il approcha sa main de son nez, renifla :

— Pétrole.

— Hein ?

— Sens...

Pas d'erreur, c'était bien l'ignoble odeur douceâtre de l'huile.

A ce point-là, il n'y a plus rien à dire. Injurier Dieu ne vaut plus rien. Les deux hommes restèrent muets.

La brise avait encore fraîchi. Le premier, Sturmer frissonna. Fini de transpirer pour un moment.

Il s'éloigna de quelques pas et, machinalement, continua à photographier mentalement le trajet. Puis il revint vers Johnny.

— Il y a un des pipe-lines qui a dû prendre un jeton par en dessous et qui pisse. A la cadence où ils débitent, avec douze pompes pour activer la pression, il nous reste une demi-heure avant que la piste soit transformée en tank à pétrole. En avant. On y va !

— Tu es fou, répondit le Roumain. Fou à lier, fondu, jobard et jobri. Aux dingues, et vite...

— Dis donc...

— Non, tu permets ? Jusqu'à maintenant, je t'ai laissé aller, parce que je suis bien obligé de reconnaître que tu es gonflé comme pas deux et que moi j'étais malade de peur. Mais maintenant, halte-là. Je ne marche plus. Tu n'es pas un héros, tu es un schizophrène, un paranoïaque et un con. C'est marre.

— Eh bien quoi ? Jusqu'à présent, comme tu dis, tu n'as pas été absolument brillant, mais tu marchais quand même avec au cul suffisamment de soupe pour faire sauter la moitié du patelin. Et maintenant, toujours pour suivre l'élan de ton éloquence, c'est une fuite de pétrole qui te fait retailler ? Qui c'est, le con ? Et tu fumes juste au-dessus d'une nappe de naphte qui sort sous pression ! Non, mais tu n'y es plus ? Tu te touches et tu te finis pas ?

— C'est pas le pétrole qui me fait peur, c'est le signe.

— Hein ?

— Le signe.

Ça paraissait tout expliquer pour lui, ce mot. Pas moyen de lui tirer autre chose. Le signe...

— Allez, on va pas passer toute la nuit là. Pour

ce qu'il en reste, de nuit, du reste... Tu me guides. Tu y es ?

Le Roumain regarda Gérard bien en face. Il avait un visage reposé, sérieux, du moins ce qu'on en voyait ; il tournait le dos aux phares dont le faisceau, à un mètre du bord, passait haut au-dessus du trou où ils se tenaient.

— Ecoute, Gérard. On a été bien copains jusqu'à cette putain de nuit. Jusqu'ici, à nous deux, on emmerdait pas mal de monde, en long, en large et en travers, non ? Et voilà que c'est foutu.

— Magne-toi, accouche, dit Sturmer.

— Je vais repartir encore une fois avec toi. On va se lancer dans ce trou, s'y noyer, s'y paumer. Les gaz d'échappement mettront le feu au pétrole et on cramera ou on sautera, c'est réglé comme du papier à musique. Et si par hasard on passe, on sautera un peu plus loin et c'est marre. Je vais le faire avec toi parce que tu as été mon copain et aussi parce que tu me fais peur : tu es trop familier avec toute cette saloperie, je crois que tu es le diable. Moi, je vais devenir fou ou mourir de peur. Mais rapelle-toi, Sturmer : il y a eu le signe, et je t'ai prévenu : pour toi non plus, ça ne peut pas bien finir...

— Quand j'aurai besoin d'une cartomancienne, je te ferai venir. En attendant, au turf.

***

Le camion était ramassé sur ses roues, prêt à tirer plus loin sa charge maudite. Sturmer regarda encore une fois droit devant, là-bas, de l'autre côté, vers la route libre. Il aspira une longue gorgée d'air, il but à la bouteille tout ce qu'il pouvait prendre d'air à la nuit, et lâcha le pied gauche. Les roues avant effritèrent la terre au bord de la pente, la repoussant en un bourrelet qu'elles franchirent aussitôt ; et, mulet rétif arc-bouté sur ses quatre pattes, le K.B. commença à descendre au trou. Le moteur au ralenti le retenait. Plus question de toucher à l'embrayage d'ici à l'autre bord. Et juste ce qu'il fallait de frein.

— Nom de Dieu... Ça y est !

Moulin calé, roues bloquées, il continuait de glisser ; c'était une épave, une épave qui patinait, dérapait, se mettait en travers...

Sur un coup de démarreur désespéré, le moteur emballé, débrayé à fond, l'accélérateur au plancher, poussa une gueulante grandiose, revint au régime et reprit sa traction sur la masse du camion au moment précis où celui-ci allait s'immobiliser. Le volant traça aux mains de Gérard deux demi-cercles précipités. A leur tour, les roues de l'avant reprirent leurs morsure en pleine terre grasse. Tout rentra en ligne.

Devant, Guignol farfelu sous les projecteurs blancs, Johnny pataugeait dans la boue de naphte, hélait, halait le véhicule à grands gestes de bras dans le vide. Gérard, toujours à la plus basse vitesse, mit les gaz au plus fort.

Ça gueulait dans ce moteur. Les pistons couraient les coudes au corps, se cognaient la tête aux hauts de cylindres, se faisaient des bosses et n'avaient même pas le temps de s'arrêter pour les frotter. Les bielles les encourageaient de leur chuintement fluide. Le conducteur avait déchaîné toute la hâte, toute la puissance enfermées dans l'acier par les ingénieurs. Et cet effort, transformé par les engrenages de la boîte, ceux du pont, aboutit à une progression irrésistible, à trois kilomètres à l'heure, au milieu d'une mare noire et puante, flaque de nuit liquide qui clapotait en remous épais autour des moyeux qu'elle n'éclaboussait même pas.

Johnny recule toujours devant les phares. Dans ce cauchemar de boue, il piétine et trébuche comme dans un rêve ; comme dans un rêve il trébuche, et tombe à la renverse. Mais ce n'est pas un rêve puisque de crier ne le réveille pas. La tête dressée au-dessus du liquide qui recouvre entièrement son corps affalé, il crie, crie encore. Le camion continue son avance implacable sur lui. Gérard a tout vu, il ne relève pas le pied pour ralentir ; ce qu'il faut, c'est passer. Le pneu avant droit atteint le pied du Roumain, y appuie, le presse dans la boue qui se solidifie sous l'énorme pression. Il se débat, Johnny, crie, il sent sa jambe se broyer, il hurle à la mort ; Sturmer, les yeux fixés sur le haut de la pente qu'il va attaquer dans un instant, ne fait pas attention à cette carcasse désarticulée qu'il est en train de fouler aux roues, écrasée ou noyée, est-ce qu'on sait ; qu'est-ce que ça peut faire, il faut passer. Il faut passer.

Une dernière secousse, quelque chose qui craque, Johnny gicle sur le côté et se retrouve debout. Sa jambe est en sang mais elle n'est même pas cassée. Le temps de s'évanouir et le voilà mortellement vexé.

L'élan que le camion avait pris sur le fond plat du cratère mena les roues avant d'une longueur à l'assaut de la pente. Mais au moment d'attaquer le sol ferme, celles de l'arrière firent trois tours fous dans la mare de pétrole, et le camion s'assit sans secousses.

A l'opposé du tourbillon noir de l'incendie qui bouchait un secteur d'horizon, le soleil se levait.

*
* *

Sale, hagard, les yeux creux, la bouche brûlante, Sturmer mit le pied par terre. Derrière lui, Johnny se tenait debout ; le liquide puant lui arrivait à mi-jambe. Péniblement, il remonta la pente vers le terrain sec. Des gouttes de jus noir tombaient de lui, s'enfonçaient aussitôt dans le sol. Le pétrole lui avait collé sur la tête la masse de ses cheveux crêpelés. Chauve et obscène, il s'avançait en boitant bas.

— J'allais quand même pas m'arrêter, gronda Sturmer que cet échec faisait trembler de fureur. Et il ajouta :

— Qu'est-ce qu'on va faire ?

Mihalescu n'avait pas l'air très chaud pour s'en préoccuper. Il arracha ses vêtements, déchira sa chemise, son pantalon de toile. Ses chaussures... ses chaussures, elles y étaient restées. Nu, il regarda sa blessure. La jambe était gonflée, sanguinolente, douloureuse. Par endroits, elle semblait éclatée, comme une prune trop mûre. Mais il était difficile de se rendre compte : tout ça était enveloppé d'une pellicule de pétrole où des grains de terre s'étaient groupés par plaques. Il s'avança vers la porte de la cabine.

— Dans une heure, je te soignerai et je t'aiderai à te nettoyer. Pour l'instant, il faut sortir de là. Le pétrole monte ; et, sans parler du soleil, dans une heure tu ne seras plus bon à rien. J'ai besoin de toi.

Le regard que Johnny lança à Gérard vaudrait à lui seul une page d'anthologie des meilleurs spécialistes du flot de larmes. Sturmer ne s'y arrêta pas, il fut perdu pour lui. Il était trop fatigué, aussi. Si on se permettait deux idées dans une entreprise comme celle-là, on n'irait pas loin. Une seule : passer.

— Oui, reprit Sturmer. Tu as été salement attigé. Dans une heure, la fièvre va monter. Ne perdons pas de temps.

Sous la nappe liquide qui maintenant léchait l'arrière de la caisse, le camion reposait sur le châssis. Pour s'en rendre exactement compte, Gérard dut s'allonger à son tour, entrer dans le jus jusqu'au cou. Son bras n'allait pas encore assez loin. Il se remplit les poumons et se vautra, la tête immergée. Sale histoire.

Par l'arrière, rien à faire. Couler du ciment au fond, et encore...

Sturmer se sentait devenir la proie de l'affolement le plus inconsidéré. Chez les hommes comme lui, c'est à la fois une qualité et un défaut : ils sont comme des enfants qui trépignent devant un jouet ; ce qu'ils veulent, ils le veulent tout de suite ; ils ne peuvent pas attendre. C'est comme une superstition. Il semblait d'une importance vitale d'avoir sorti le camion avant la pleine chaleur. Et, sauf si on considérait ça comme un indice de virilité — plus, de vitalité —, c'était absolument déraisonnable.

Tous les trucs qu'il avait vu pratiquer, toutes les ficelles enregistrées au cours d'une expérience de camionneur déjà longue, des pistes pourries du llano vénézuélien aux pentes escarpées des Andes, il les passa en revue, et un par un les rejeta : ça ne collait pas. Inutiles la pelle, la pioche, les câbles, les deux barres à mine : il aurait fallu un treuil à l'avant. Dire qu'à Las Piedras il y avait tout un assortiment de trucks à quatre et six roues motrices, équipés pour les pistes défoncées par les averses, avec un rouleau de filin à l'avant et à l'arrière, mus par le moteur... Mais comment aurait-il pu imaginer pareille histoire en pleine saison sèche ?

La température se réchauffait déjà. Dans le ciel encore tout limpide, pas encore troublé par les ondes de chaleur que le sol dégagerait tout à l'heure, une bande de perroquets verts passa en criaillant. Ils venaient des grandes forêts de Pariato, loin dans le sud. De leur vol lourd et disgracieux, mais rapide, ils allaient vers la mer.

***

Johnny était écroulé, assis par terre, le dos appuyé à un des pneus de l'avant. Il devait souffrir beaucoup. La fièvre n'avait pas attendu le terme que Gérard lui avait fixé d'autorité. Déjà il n'était plus maître de son regard et, dans ses orbites cerclées de noir, ses prunelles d'un bleu innocent avaient de brusques chavirements.

— Ecoute, Français, essaya-t-il de crier.

Mais le souffle lui manqua et il dut rassembler longtemps ses forces avant de recommencer à appeler :

— Gérard ! Eh ! Gérard !

— Merde !

— Viens !

Sturmer arriva en bougonnant.

— Je m'occuperai de toi tout à l'heure. Tu peux bien me foutre la paix cinq minutes, non ?

— Ecoute. Je vais avoir le délire, ce sera trop tard. Il est bien enfoncé ?

— Jusqu'aux ressorts. Et alors ?

— Je vais te donner un truc. Mais tu me soigneras tout de suite après, Gérard.

— Aussitôt qu'on sera sortis, oui, je t'ai dit.

— Non. Tout de suite. Avec la plaie que j'ai, si

on ne fait rien, toute cette merde sous ma peau, dans mon sang, c'est la gangrène. Et le soleil là-dessus...

— Qu'est-ce que c'est ton truc ?

— Promets de me soigner, Gérard. Promets-le. Je ne veux pas crever comme ça...

— Ni autrement, je sais. Alors, ce truc ?

— C'est une combine que nous avions, les chauffeurs, en Roumanie où il y a des pistes pareilles à celles d'ici. Ça ne rate jamais.

— Dis, tu me l'apprends ou tu me racontes ta vie ?

— Tu me panseras tout de suite ?

— Oui ! Emmerdeur !

— Eh bien, voilà... Nom de Dieu que j'ai mal... Tu plantes tes deux barres à mine à l'avant. Mais pas n'importe où à l'avant, juste dans l'axe. Dans l'axe... Tout est là.

— Quel axe ?

Le Roumain se tut, sembla s'endormir. Sa tête pencha en avant.

— Johnny ! Eh ! Johnny !

Sturmer bondit à la cabine, attrapa un flacon de rhum. Il empoigna le blessé par les cheveux, lui ramena la tête en arrière et le gifla deux fois, fort et sec. Puis il lui introduisit le goulot entre les lèvres et lui versa une rasade dans la bouche. L'autre en bava beaucoup, en respira et en avala un peu. Il toussa, secoué par la brûlure de l'alcool. Deux filets de bave, de bile et de rhum lui coulèrent aux commissures des lèvres. Il ouvrit des yeux pleins d'eau qu'il ne parvenait pas à fixer. Gérard n'attendit pas davantage :

— Dans l'axe de quoi ?

— Je ne sais plus... Quoi ? Quel axe ?...

— Tu m'as dit : tu fixes les barres à mine dans

l'axe. Et puis plus personne, t'avais viré de l'œil. Alors, dans l'axe de quoi ?

Le Roumain réfléchit. Son front se plissa ; ça faisait deux petites rigoles de pétrole qui coulaient de chaque côté, le long des tempes. Quand il reprit la parole, sa voix était devenue haletante. De petites grimaces de souffrance lui traversaient le visage en diagonale, à des intervalles irréguliers.

— Trop compliqué à t'expliquer comme ça... Tu te démerderas bien... Je me sens foutre le camp entre chaque idée ; ma tête fout le camp d'un côté et moi de l'autre. Voilà. Qu'est-ce que je te disais ?

Gérard l'attrapa à l'épaule et le secoua. Mais sa main glissait sur cette peau grasse. L'autre lui échappa et, ne se tenant plus, s'affala sur le côté.

— Comment faut-il faire, hurla Sturmer à son oreille, penché sur lui. Com-ment-faut-il-fai-re ?

— J'ai mal, nom de Dieu... J'ai mal, soigne-moi... j'ai trop mal, c'est pas possible.

— Comment faut-il faire ?

— Tu coinces les filins entre les roues jumelées... tu te hales sur les barres à mine. Dans l'axe, Gérard... Dans l'axe...

Il s'était évanoui de nouveau. Sturmer le redressa et l'accota à son pneu. Puis il s'en alla à l'arrière ; il décrocha les barres à mine, empoigna la masse et les porta à l'avant, cinq à six mètres au-delà des pare-chocs.

*
* *

Le blessé était sorti de son évanouissement. Il voyait son copain au boulot ; il baissa les yeux vers les plaies qui n'étaient toujours ni lavées ni pansées. Sans rien dire, il se mit à pleurer. Les larmes glissaient, roulaient en gouttelettes sur son visage goudronné. Il essaya d'appeler Sturmer, mais, de nouveau, le gouffre le happa. Il se sentit partir, se débattit, s'abandonna.

— Tout à l'heure, grogna Gérard en passant près de lui pour aller fixer les filins aux roues arrière.

***

Le pétrole arrivait à la plate-forme. Il était à peine temps : dans une heure il atteindrait les roues avant. Celles de l'arrière étaient complètement immergées.

Gérard se coucha une nouvelle fois dans la mare. Il retenait son souffle, mais l'huile lui pénétrait dans les oreilles et dans le nez, lui brûlant les muqueuses. Il avait du mal à se maintenir complètement enfoncé.

Il tenait dans sa main droite un filin de chanvre. Jamais des cordages d'acier ne se seraient enroulés. Le diable, c'était qu'il ne disposait que d'une corde très courte : vingt mètres à peine qu'il fallait couper en deux morceaux, un pour chaque côté. Et du moyeu arrière au pare-chocs, le camion en mesurait déjà cinq.

Il glissa sa main libre entre les roues jumelées, tâta un moment avant de repérer les trous des flasques, entre lesquels il pourrait coincer le gros nœud qui terminait la corde. Il suffoquait, il fut obligé de remonter.

Accrochant à tâtons un bout de chiffon qu'il avait accroché exprès pour ça aux ridelles, il s'essuya les yeux. Le pétrole lui brûlait la cornée ; quand il les ouvrit, c'était une douleur intolérable. Mais les larmes qu'elle lui arracha le soulagèrent ; au bout d'un instant il ne lui resta plus que la gêne de sa peau grasse, et dans la bouche le goût écœurant du naphte.

Sa respiration se calmait. Frissonnant de répugnance, il retourna sous le camion. Ce qu'il fallait, c'était prendre son temps, comme s'il avait été confortablement installé à l'air libre. Il n'y avait pas de place pour la hâte.

Les parois de métal, les pneus, tout ce qu'il touchait était visqueux, et tout se ressemblait sous les doigts. Aucune prise, aucun repère non plus n'étaient sûrs. Quand il remonta pour respirer, croyant avoir solidement coincé la corde entre les flasques, elle lui resta entre les mains dès la première traction. Deux fois il recommença, deux fois tout fut à refaire. Il décida de se reposer cinq minutes avant d'y retourner

Le soleil était maintenant haut et clair. A la surface de la flaque, des ondes de chaleur commençaient à se dessiner dans l'air tremblant. Sturmer alla jusqu'à la cabine, se pencha au tableau pour regarder l'heure : huit heures et quart. Ça n'allait pas tarder à devenir dangereux. Il renonça à faire la pause, se remit au travail sans prêter attention aux gémissements de Johnny qui commençait à pourrir au soleil.

Cette fois, ça y était. Et du même coup il avait repéré la méthode pour placer sa corde de l'autre côté. En dix minutes tout fut paré pour l'arrière. Il n'y avait plus que les barres à mine à mettre en place. Bien dans l'axe, avait dit Johnny ; dans l'axe de l'interstice entre les roues de chaque paire jumelée, sans doute. Ça, c'était assez facile : sur ces camions-là le train arrière déborde assez largement l'empattement de l'avant.

Planter seul une barre à mine n'était pas sorcier non plus pour un ancien chercheur d'or. A la pioche, Sturmer amorça un trou dont il détermina l'emplacement exact à la corde : une fois tendue, elle ne devait toucher ni le pneu extérieur ni celui qui était à l'intérieur de la roue jumelée à laquelle elle était fixée.

Puis il enfonça la barre de fer verticalement dans le logement évasé qu'il venait de lui aménager et la cala avec des pierres dans cette position. Il ne restait plus qu'à cogner.

Le bruit lourd de la masse réveilla Johnny. D'un œil de reproche il regarda son copain au travail. Il savait que ce n'était pas la peine d'appeler, que l'autre ne se dérangerait pas, ne s'interromprait même pas. Il regarda sa blessure. L'enflure montait ; maintenant l'aine lui faisait mal. Il tâta. Un gros ganglion douloureux commençait à se former. Le Roumain fut effrayé. Il n'aurait quand même pas cru que ça irait si vite. L'effort de tous ses muscles ne suffit pas à le soulever, juste à le faire souffrir à crier, et prendre conscience de sa faiblesse : c'est à peine un gémissement de nouveau-né qui passa ses lèvres.

Les piquets étaient complètement enfoncés tous les deux. Gérard se souvint d'avoir aussi été marin — quel métier n'avait-il pas exercé ? — Deux demi-clés inversées assurées d'un tour mort frappé serré, voilà un nœud que la plus violente traction ne ferait que renforcer. Il recula de quelques pas pour jeter sur l'ensemble un dernier coup d'œil. Ça collait. Peut-être y aurait-il, non pas du ballant, à peine un peu plus de mou à droite qu'à gauche. Mais c'était infime.

Se penchant sur Johnny toujours inconscient, il passa une main sous ses genoux, l'autre autour de ses épaules, et le souleva. La tête du blessé roula sur la poitrine de Sturmer, il entrouvrit les yeux et eut quelque chose comme un sourire. Puis une phrase lui vint aux lèvres. C'était du roumain, Gérard ne comprit pas. Il déposa son fardeau et s'installa au volant.

Le moment difficile était venu. Le Français repassa mentalement les indications que Johnny lui avait données avant de s'évanouir. En principe, ça devait aller. L'échappement était noyé dans le pétrole, tant mieux : seules les vapeurs d'huile étaient redoutables, le liquide lui-même restant pratiquement ininflammable. Si quelque étincelle jaillissait du tube au démarrage, elle irait s'éteindre aussitôt dans le jus. Il n'y avait plus qu'à marcher comme ça.

Les gaz poussèrent des bulles dans le naphte, une sorte de glouglou régulier qui couvrait le bruit du moteur au ralenti. Tout allait se jouer à l'embrayage. Sous le pied de Gérard qui se faisait de plus en plus léger, la pédale de gauche remonta doucement. Devant la boîte de vitesses les disques du mécanisme se rapprochaient. Ils arrivèrent au contact. Sturmer regarda devant lui se tendre les cordes.

Les barres à mine frémirent doucement sous la traction qui augmentait. Le camion bougea. Le miracle était en train de se réaliser. Le sol ferme avançait imperceptiblement au-devant des roues. En regardant verticalement au-dessous de soi par la portière ouverte, il était possible de mesurer le terrain gagné centimètre par centimètre. Là-bas, sous le niveau agité de la flaque, la corde de chanvre s'enroulait sans à-coups autour des moyeux, sur le tambour que formaient les joues d'acier des roues. Il sembla à Sturmer qu'un tapis de dollars se déroulait à la rencontre du camion. Et aussi, en même temps, il était simplement content d'avoir réussi.

Les pneus commençaient à mordre sur le sol ferme. Il était grand temps : la barre de droite était en train de se tordre. A peine Sturmer en fut-il certain qu'une violente détonation retentit.

— Ça y est ! pensa-t-il. Mais d'avoir eu le temps de le penser, il savait déjà que ce n'était pas ça.

La barre tordue s'était inclinée à l'horizontale, libérant ainsi la corde. Le camion avait fait un violent écart de côté, et l'autre filin toujours tendu avait été mis brutalement en contact avec le pneu extérieur de l'autre roue. C'était celui-ci qui, sous la morsure de la corde, patinant au bord du trou, poissé de boue, venait d'éclater. Maintenant un roulis lent s'était emparé du train arrière, et tout le camion hésitait à finir d'escalader la pente ou au contraire à se laisser glisser en arrière.

Sturmer avait lâché complètement la pédale d'embrayage. A l'accélérateur il chercha le régime qui aiderait les roues à mordre. Des coups de volant pour corriger les dérapages de l'arrière. Brusquement se tut le hurlement du moteur emballé. Le camion s'était décidé ; par la gauche, à une allure enfin normale, il s'arracha en trois tours de roue au piège de la boue.

***

Le moment était venu du repos et pourtant il n'en était pas question. Juste le temps de se dire que ce coup-ci c'était gagné et, tout de suite, il y avait quelque chose d'urgent qui surgissait : Johnny d'abord.

En ce qui concernait son équipier, Gérard ne se sentait pas tout à fait la conscience tranquille. C'est avec beaucoup de douceur, armé d'avance de patience, qu'il commença à nettoyer la peau tout autour de la déchirure.

Le pétrole adhérait terriblement. Il fallut soutirer un peu d'essence au réservoir du camion pour en venir à bout. Question d'infection, ce n'était pas l'idéal. Quand la plaie devint entièrement visible, ce fut au tour de Sturmer d'être effrayé.

La peau était distendue, rouge avec des veines bleues, luisante. Une craquelure aux bords nets zigzaguait sur toute la longueur du tibia. C'était une véritable crevasse. Le fond plein de pus était déjà vert.

Naturellement, il n'avait pas de pharmacie à bord. Personne n'avait pensé à un autre accident qu'à l'explosion. Bah, faute d'alcool pharmaceutique, le rhum ferait l'affaire.

Quand Sturmer gratta l'os avec la petite lame de son couteau suisse, le Roumain entama un long hurlement.

***

Il y avait le boudin à changer. Un travail de routine, tout facile, tout bête. Seulement Gérard était épuisé. Il passa pas loin d'une heure à descendre une roue de secours, à la rouler devant celle qu'elle devait remplacer. Mettre le cric en place fut vite fait, mais débloquer les écrous demandait de la force et du nerf. Et quand il fallut soulever les trente-cinq kilos de fer, d'air comprimé et de caoutchouc pour les présenter dans l'axe des broches... Il dut s'y reprendre à trois fois, s'aider d'un fusil démonte-pneus comme levier. La tête lui tournait, un rideau de sang rouge flottait sous ses paupières quand il fermait les yeux. Quand il eut fini, il était midi.

Il était bien décidé à repartir tout de suite. Tant pis pour la forte chaleur, il ne raisonnait plus. Sous sa main, la tôle du tank brûlait au point qu'il ne pouvait que l'effleurer. Restait à savoir à quelle température, exactement, la soupe se sauverait. Et quelle masse était nécessaire, à cette température critique, pour que se produisît l'explosion. Mais la fatigue empêcha la question de se poser dans toute son ampleur, et bientôt dicta la solution de la sagesse à ce fou. Titubant de sommeil, il s'avança vers Johnny. Le charger sur ses épaules, ça n'allait pas être du sucre. Pourtant on ne pouvait pas rester là.

A la verticale, le soleil tapait sur les crânes comme sur la tôle du K.B. La mode dans les républiques sud-américaines n'est pas d'arborer des casques coloniaux, orgueil de nos sous-officiers rengagés à Dakar. Ce qui rappelle trop vivement les souvenirs encore frais de la période coloniale est mal vu. Du reste, le Tropique est moins dur ici qu'en Afrique. N'empêche que, crevé de fatigue à ce point-là, même un simple chapeau de feutre serait le bienvenu.

La jambe du blessé commençait à pourrir.

***

Encore heureux que l'odeur de pétrole éloigne les moustiques. Cette chair bleue qui gonflait, cette sanie malodorante qui coulait... Il en eût été couvert. Quand Sturmer lui passa la main sous les genoux, un réflexe de dégoût lui retourna l'estomac : l'autre n'avait plus le contrôle de son corps ; il baignait dans une fange innommable d'urine et d'excréments. Le découragement pénétra d'un coup dans l'âme du Français. Il lâcha prise et s'assit quelques pas plus loin.

Il en restait, des choses à faire ! Arroser la citerne. S'éloigner hors de portée d'une probable catastrophe. Couvrir la tête de l'autre. Dormir. Allez, vieux, debout...

***

Facile à dire. Le soleil n'était plus seul au zénith, il en avait trois, quatre, dix sous ses paupières, qui n'attendaient que le moment de se mettre à tourner en rond dès qu'il fermait les yeux ; et au voile rouge du ciel s'accrochaient de larges gouttes d'ombre qui glissaient sans cesse vers la terre. C'était un début d'insolation bien caractérisée. Il fallait retourner au camion, s'asperger la tête, se coucher à l'ombre, c'est-à-dire sous la citerne.

Sturmer accrocha des deux mains le corps du blessé sous les aisselles. Déjà ses muscles étaient engourdis, ses articulations raidies. Il eut du mal à assurer sa prise. De sourds élancements partaient de son doigt déchiré et par la face interne de l'avant-bras, puis du bras, remontaient jusqu'à l'épaule, se répandaient dans la poitrine. Son cœur lui-même, étreint dans les ondes de douleur qui l'enveloppaient, lui faisait mal.

Le corps de Johnny se déchirait aux aspérités du sol, tandis que Gérard le traînait à reculons. Il n'y avait pas trente mètres à franchir, assez toutefois pour que la jambe gangréneuse éclatât par places et laissât des lambeaux de chair noire et pourrie dans le sillage de sanie qui s'inscrivait derrière eux. Pourtant il fallait bien continuer ; il fallait bien, lui aussi, le mettre à l'abri des redoutables rayons qui étaient en train de le brûler vif. Faute de quoi il serait définitivement perdu.

Le sang de Sturmer lui brûlait au passage les veines et les artères. Il ne sentait plus la cuisson du soleil sur sa peau, il y avait longtemps que le Tropique l'avait cuite et recuite, mais il lui semblait que c'était du vitriol qui baignait son cerveau, ses poumons, ses reins. Chaque muscle, chaque tendon se transformait en un fil métallique rougi à blanc qui lui sciait la carcasse par en dedans. Juste comme il arrivait au plateau du K.B., il commença à ressentir au creux des mains, au bout des doigts le redoutable fourmillement qui constituait, il le savait, le signal d'alarme le plus impératif : coup de chaleur. Il se laissa tomber à terre et se glissa en rampant entre les roues arrière. Puis, à petits coups, sans force, mais toute sa volonté tendue vers le but qu'il s'était fixé : sauver Johnny, il le hala à côté de lui, à l'ombre.

Il ne raisonnait plus depuis longtemps, on l'a dit. Depuis l'instant où ils avaient abordé le cratère de l'explosion, très précisément. Son acharnement à passer malgré tout, à passer de suite, à écarter toute solution de prudence qui aurait entraîné quelque retard, tout cela était du domaine de la pure impulsion. Mais il existe une race, une qualité d'homme chez qui, la raison absente, l'instinct parle un langage viril. Sturmer était de ceux-là.

Il gardait les yeux ouverts dans l'ombre de son refuge : s'il les fermait, les soleils imaginaires étaient toujours là, qui l'éblouissaient bien plus que le vrai. Attentif à ne penser à rien — surtout ne penser à rien — il s'appliqua à régler sa respiration sur un rythme de calme, de détente. Il prit son élan, rassembla sans bruit, sans effort superflu, ce qui lui restait de forces ; dès qu'il pourrait, il devrait bondir vers l'avant, décrocher un des sacs de toile suspendus de chaque côté de la cabine, attachés à la poignée des portières ; se baigner la tête ; revenir à l'ombre rafraîchir les tempes de Johnny.

Il y aurait un instant optimum, très court, et qu'il ne faudrait pas laisser passer ; tout de suite après ce serait trop tard : l'apoplexie.

Le moment était venu. Gérard rassembla ses membres autour de lui, en battit le rappel. Il lui semblait, tant l'emprise du soleil et de la chaleur était forte sur son cerveau, il lui semblait qu'il lui en manquait. Tant bien que mal, il se dressa à quatre pattes. La tête lui tournait un peu, pas trop tout de même. Il sortit de l'ombre. Quand il voulut se redresser il n'y parvint pas. A moitié accroupi, se traînant, rampant, il s'avança vers l'eau.

***

Il y a, en Amérique du Sud et en Amérique centrale, une variété de singe absolument saugrenue et qui est sans doute un souvenir de la plus lointaine préhistoire, parvenu jusqu'à nous par un incompréhensible caprice de la nature : le paresseux. Le paresseux est grand comme un sapajou ; il en a les mains et les pieds bien proportionnés, élégants, le pelage agréable aux doigts, mais pas la physionomie éveillée. Une sorte de stupeur s'y lit en permanence. Ses grimaces, ses gestes mêmes sont comme paralysés par une incompréhensible lenteur. Il lui faut plus d'une minute pour porter sa main à sa bouche. En présence du danger, la peur ne commence à marquer son visage d'homme souffreteux qu'au bout d'un long moment. Puis il se met à fuir ; mais sa hâte ne se traduit que par l'immense application de ses gestes. Sa démarche reste toujours empreinte de la même mollesse ridicule et inhumaine. Chez un singe, l'inhumain est un élément d'horreur insoutenable. Il semble l'incarnation de ces cauchemars où il s'agit pour vous d'échapper à ce train qui fonce sur vous, qui va vous écraser et vous n'arrivez pas à remuer le petit doigt pour vous écarter des rails. C'est dans ce style que Sturmer se précipita vers l'eau.

***

Quand Gérard revint auprès de Johnny, celui-ci respirait à peine et, entre ses aspirations entrecoupées, des râles rauques cliquetaient, s'entremêlaient à n'en plus finir.

L'eau sembla lui faire du bien. Son souffle s'apaisa, devint plus régulier. Les crescendos de suffocation, au sommet desquels on se demandait si son cœur n'allait pas éclater, s'espacèrent. Il revint à lui, mais il avait dû tout oublier : il murmura d'abord une longue phrase en roumain, puis la traduisit en allemand, et enfin en anglais :

— Réveillez-moi à neuf heures et demie avec le petit déjeuner...

Drôle de palace, mon pauvre Johnny !

Sturmer, lui, avait retrouvé tous ses esprits. Ce n'était pas mieux, bien au contraire : il pensa soudain au chargement, à l'abri duquel ils étaient tous deux réfugiés. Quelle élévation de température était nécessaire, quelle masse suffisait à la température critique...

Ne pas savoir ce qui se passait dans la tête de la charge, cette charge méchante comme un Dieu Vaudou et qui mijotait son coup... Ne pas pouvoir poser de question, tout juste s'efforcer de deviner à vide ; on ne pouvait même pas appeler ça deviner, il n'y aurait guère eu qu'un mot d'argot, de la langue des prisonniers, qui sont, eux, habitués de longue date à dépendre de choses sur lesquelles ils ne peuvent rien : gamberger, ils appellent ça. Gamberger. Gérard gambergeait : peut-être maintenant, tout de suite, avant que fût finie cette phrase... Peut-être bien plus tard, peut-être jamais. Ou bien aussi au moment précis où il prononcerait pour la seconde fois le mot « jamais »... Impossible de rester encore longtemps comme ça. Mille fois mieux les cahots de la route.

« Repartir », se dit Sturmer. Mais ses lèvres prononcèrent le mot « colère ». Pourquoi ?

Il allait falloir traîner l'autre en tous terrains, encore une fois. Au moins, lui mettre quelque chose sous les fesses, ne pas continuer à le déchirer aux cailloux de la route. Et après ça, le hisser dans la cabine. Une tentation se dessina presque dans l'esprit de Gérard. Non, tout de même pas...

Il fit l'inventaire des gestes qu'il allait avoir à accomplir. Assis, il récapitula : l'accoter au marchepied. Non. D'abord, aller lui chercher un pantalon. Le lui passer. Le tirer à l'avant, l'accoter au marchepied. Monter soi-même. L'accrocher sous les bras. Le hisser, assis dessus. Non. Décidément non. Trop de boulot. On ne pouvait pas tout demander à un homme. Pas juste. C'était le mot : tout ça n'était pas juste. Et puis, après l'attitude qu'il avait prise cette nuit, le Johnny, on ne pouvait même pas se dire qu'il s'agissait d'un ami.

Sturmer haussa les épaules et sortit tant bien que mal de son refuge d'ombre.

***

C'est au moment d'embrayer qu'il y renonça. Il redescendit, il alla chercher le Roumain à côté de la roue arrière. Comme mort, l'autre était étalé au soleil. Pour l'abandonner, il l'avait quand même habillé ; toujours ça de moins à faire. Restait le plus dur...

Un effort de tout le corps. Le sang sonnait maintenant une espèce de glas aux tempes du Français, à grands coups qui se répercutaient dans toute sa tête. Pour un meurt-de-faim, ce qu'il pouvait être lourd, cet animal. Toujours est-il que ça y était. Il était là, gros tas de chair douloureuse écroulé sur le plancher de la cabine. Gérard n'avait pas eu le courage de le hisser jusque sur le siège. Bien beau comme ça.

Quand le camion s'ébranla, le soleil amorçait son virage au-dessus de la plaine. Le crépuscule commençait, qui allait durer à peine un quart d'heure. C'était gagné. La chaleur n'avait donc pas fait sauter la charge. Si Gérard avait su, il aurait tout aussi bien pu dormir toute la journée. Brusquement il s'aperçut que, de toute façon, il n'en aurait pas eu le temps.

Gagné... Quand même, ça paraissait un monde, de là-bas, de Las Piedras. Et voilà que l'avenir qui semblait barré comme par le rideau de fumée qui sortait du taladro en flammes, voilà que l'avenir s'ouvrait de nouveau. Et justement, tandis que le cœur de Gérard se mettait à battre sur un nouveau rythme à cette idée-là, la nuit tomba d'un coup, absorba, avala l'écran de nuage qui barrait le secteur d'horizon vers lequel ils se dirigeaient. En coupole au-dessus de leurs têtes, le ciel devint uniformément noir. On pouvait très bien s'imaginer que c'était pur hasard s'il n'y avait pas d'étoiles au-dessus de leur but.

En principe, c'était gagné. En principe seulement. Peut-être toutefois était-il un peu tôt pour ouvrir l'écluse aux rêves, à l'enthousiasme, à l'espoir. Il y en avait encore pour toute la nuit à rouler. Bien sûr, on pouvait compter que les difficultés étaient finies. Il n'y avait plus qu'à y aller doucement, sans prendre aucun risque. A sept à l'heure de moyenne pendant douze heures, ils avaient largement le temps de couvrir la distance. Et il restait les deux heures qui suivraient le lever du soleil, comme marge de sécurité, deux heures pendant lesquelles la température ne serait pas encore dangereuse. De toute façon, même s'il se présentait un passage de sol uni, pas question d'essayer d'accrocher la vitesse maximum. Du moment qu'il y avait moyen de faire autrement, ce serait fou... Et, du reste, Gérard n'était pas en état. Juste capable de faire le fonctionnaire en le poussant à petite allure au long de son chemin, et encore...

*
* *

Ça ne marche pas si bien que ça, sous le crâne de Sturmer. Par moments, il se sent très en forme, il savoure d'avance une miette, une bribe de l'heureuse issue de son entreprise. Déjà, par la pensée, il immobilise définitivement son camion à cent mètres du taladro, il descend en laissant derrière lui la portière grande ouverte. Avec une hâte secrète il s'éloigne tandis qu'accourent ceux qui vont prendre en charge la dangereuse marchandise. Des infirmiers ramassent Johnny... Et puis un déclic se fait dans sa tête, et il revient brusquement sur terre, à sa dangereuse condition de convoyeur de mort violente. Il commence à n'être plus du tout maître de ce qu'il pense...

Le camion grignote sa route du même appétit paisible et modéré. Au fond de la plaine, l'incendie est maintenant bien visible. De hautes flammes claires s'élancent du sol, mais elles n'apparaissent que par brusques et rares échappées, quand un remous de fumée les dévoile. Le reste du temps, seul, un vaste reflet rouge joue dans les plis noirs de la draperie de deuil que l'incendie a tendu comme pour masquer la porte du fond, celle par où doit sortit le vainqueur.

Décidément non, ça ne va pas du tout dans la tête de Gérard. Il manque des accessoires au triomphe, c'est un rêve où la faille catastrophique ne s'est pas encore révélée, mais on l'attend, ça ne saurait tarder. Ses tempes sont moites ; il cherche, cherche et ne trouve pas. Un déclic, encore un, un autre : successivement deux, trois détails du bas-côté surgissent de la nuit où les reléguait la lumière des phares. Mais le camion est donc encore en marche, tout n'est donc pas fini, classé, arrangé, gagné ?

Sommeil et délire de fatigue se mêlent dans ses pensées et dans ses yeux. Sommeil et délire ont choisi la personne de Sturmer pour s'expliquer, pour vider une querelle. Impossible de leur dire : allez plus loin ; ils ne comprendraient pas.

Les réflexes du chauffeur, s'ils ont été acquis au cours d'une expérience assez longue, assez fournie, survivent à la perte de conscience de l'homme qui conduit. Voilà le Français lancé à travers son demi-sommeil, et qui continue son chemin. La vitesse réduite, les suites du coup de chaleur. Peut-être vaudrait-il mieux qu'il soit terrassé tout à fait. Son pied glisserait de l'accélérateur, il s'arrêterait. Mais il n'a pas le droit de s'arrêter : au matin, il doit être arrivé. Au matin ou jamais.

Le camion s'étire au long des aspérités de la piste. La tôle ondulée lui offre ses rigoles, il s'y vautre, y déroule ses énormes pneus, y frotte leur surface noire, élastique et dure ; les en retire, les rassemble sous lui, les pose encore en avant d'un geste de pachyderme. C'est du moins ainsi que Sturmer a conscience que les choses se passent.

Il y a entre un homme et sa voiture comme une texture de sensations communes. Quand un chauffeur rate un virage, se retourne et se tue, c'est qu'il a manqué de sensibilité. Du reste, de nos jours, les gens n'ont plus aucune espèce de sensibilité. Pleurer, ça oui : ils savent. Mais sentir ? Ils n'ont plus de cœur pour ça.

— Mais, voyons, je déconne...

Plus de café dans les thermos. Le cognac ne peut t'être d'aucun secours, il t'endormirait plutôt davantage. Pour lutter contre le sommeil et ses prestiges, tu es bien seul, mon frère. Défends-toi. Ne te laisse pas faire. Il va essayer de dessiner au mur de la nuit, tout autour de toi, un univers inventé où tu ne devras pas te laisser prendre. Lutte. Lutte. Accroche-toi aux branches et lutte encore. Cette femme née des tourbillons de l'incendie et qui vient à ta rencontre avec des yeux lourds, ces gestes, toute cette mimique obscène à laquelle elle se livre sous tes yeux émerveillés, avides : elle n'existe pas, tout est inventé, tout est faux. Et si elle existait, elle ne pourrait être que la mort, il faut que tu le saches. Il suffit du reste que tu le saches. Du moment que tu lui as assigné dans ton esprit sa vraie place de mirage, de figure sans force, sans corps et donc sans âme, alors tu peux bien l'accueillir... pourvu que tu gardes le volant en direction, la première embrayée et l'accélérateur à mi-course.

*
* *

... N'écoute pas le boniment sordide du rêve, Gérard, ou tu es perdu. Fronce les sourcils, ferme les yeux, rouvre-les, secoue la tête, refuse, renvoie-la, chasse-la.

*
* *

La femme est la plus forte. Elle n'a pas ouvert la porte de la cabine et pourtant elle est là, assise à côté de Sturmer, les deux pieds sur le corps de Johnny toujours écroulé. Bien qu'elle n'ait pas de visage, elle est très belle ; la manière dont elle tire sur sa cigarette lui déforme la bouche, comme une caresse, comme un rictus de plaisir d'avance savouré. Pourtant elle n'a pas de bouche non plus. D'un effort mental violent, il la renvoie à l'incendie d'où elle n'aurait jamais dû sortir. Il pèse sur le frein — trop fort, attention, Gérard, attention ! — Le camion s'immobilise avec un frémissement sensible. Il se frotte les yeux, hausse les épaules. Il tâtonne sur la banquette à la recherche de ses cigarettes et rencontre, crispée sur le paquet, la main de Johnny. Il les serre rudement fort, cet animal-là. Pas moyen de les lui arracher. Bah ! Il y en a d'autres dans le filet, au-dessus.

*
* *

La femme est revenue. Elle n'a toujours pas de visage ; mais elle se fait de plus en plus provocante.
— Ote tes pieds de sur mon copain.

D'avoir dit ça tout haut, cette phrase absurde de quelque côté qu'on la prenne, d'avoir parlé tout haut ne réveille pas Gérard. Oh, il ne dort pas non plus. Il y a deux hommes assis là où il est, voilà tout. Un qui conduit raisonnablement le camion rouge au pas le long de son calvaire bosselé, qui a peur, qui est lucide et prudent. Qui fait ce qu'il y a à faire, sans génie, mais honorablement. Celui-là voit la route, la monotonie de la plaine, et, au fond, les jeux de la fumée qui s'élève vers le ciel et retombe en nappes autour du derrick qui brûle. Et puis il y en a un autre qui ignore tout, qui va son chemin dans la nuit et que deux morts accompagnent sur son chemin d'aveugle : un qui était une fois son copain, il y a longtemps, il y a une heure au moins, et qui a cessé de vivre depuis à peu près un siècle, et une femme qui s'entête à n'avoir point de figure, qui est belle malgré ce défaut, et qui est probablement la mort elle-même.

— Je m'appelle Anne, dit-elle. J'ai envie de toi.

Pour une fois ce n'est pas le Gérard éveillé, celui qui conduit, qui a peur. Mais l'autre.

Maintenant, s'accrochant, se réfléchissant à son propre écran de fumée, la lueur monte assez haut dans le ciel pour éclairer la terre. Mais ses reflets rouges creusent démesurément les ombres. D'autres personnages naissent sous les roues. Heureusement ils n'ont pas le temps de prendre corps : le capot les avale, ils meurent écrasés.

La femme a posé une main sur la cuisse de Gérard. C'est une main très douce, il le sent à travers l'étoffe tendue de son vêtement. Le moteur ronronne sa litanie ; il déchiffre des mots au passage : ce sont des mots défendus, de ceux qui le troublaient quand il était petit, d'une façon qu'alors il ne s'expliquait pas.

Gérard le chauffeur fait bien son travail. Au cadran du compteur, l'aiguille est fixée au chiffre de dix kilomètres à l'heure, et n'en bouge pas. Régulièrement les roues avalent de la piste, la recrachent derrière leur passage, sûrement sans bavure, sans poussière : à cette allure-là, on croirait rouler dans du beurre. L'autre Gérard est libre de ses chimères.

Curieux, cette tendance à se rappeler son enfance, cette nuit. Anne est maintenant tournée vers lui. Peut-être était-elle déjà nue tout à l'heure ; impossible de se le rappeler. Mais, depuis un instant, elle étale à ses yeux tous ses trésors de femme, sa gorge, son ventre, un triangle rouge qui barre la jointure des cuisses. Et il semble à l'homme que c'est la première fois, la première femme. Qu'est-ce qu'il n'aurait pas donné à quinze ans pour voir tout ça...

La main remonte sa cuisse, sa pression se fait plus lourde ; il surveille mentalement son approche. C'est sûr, son but est sûr. Ce n'est que là qu'elle peut aller. Maintenant il a peur de se réveiller. Il est redevenu le petit garçon pour qui chaque rêve de ce genre ne pouvait se terminer que par une déception, parce qu'il ne pouvait pas rêver plus loin, faute de savoir. Mais cette nuit, il va sûrement arriver quelque chose. Ça va lui arriver.

Quand, en effet, ça lui arrive, il est encore une fois volé. Juste une pression plus forte qui serre sur lui les doigts de la femme et qui se prolonge, le temps de quelques secousses. Une brûlure. C'est fini. La femme a l'air content, avide. Mais elle n'a toujours pas de visage et, un instant plus tard, elle a disparu. Les deux Gérard n'en font plus qu'un et se retrouvent les yeux accrochés à la route, un peu essoufflés, gênés aussi. Ils se mettent d'accord pour attribuer ça à la fatigue. L'angoisse aussi, sans doute.

Sturmer prend encore une cigarette au-dessus de sa tête. La lueur de l'allumette dure assez longtemps pour qu'il remarque que le Roumain, par terre, ne respire plus. Un homme qui meurt a toujours besoin de s'accrocher à quelque chose. Pour celui-là, ç'a été un paquet de Lucky. Un mot qui, en anglais, signifie veinard.

***

La nuit a égrené ses secondes une à une, bien lente, bien cruelle. Elle ne lui a fait grâce de rien. Le sommeil a planté ses ongles dans ses paupières par le dedans et a tiré jusqu'à les déchirer. Mais rien n'a saigné. Peut-être qu'après tout, il n'avait plus de sang. Et ce cadavre à convoyer, qui de son vivant sentait déjà la gangrène... De plus en plus perfide aussi la danse des ombres, la danse du feu devant les roues. Du moins la femme n'est-elle pas revenue. Il était bien seul avec Johnny. Seul.

La lueur est devenue plus intense, gênante, aveuglante. A chaque instant, il se croyait arrivé, il scrutait la nuit de plus près. Pas encore. De son allure somnolente le camion repartait. Il entendait à ses oreilles résonner les voix de ceux qui allaient l'accueillir, mais ce n'était pas vrai. Bien pis, la flamme que, depuis des heures, il voyait distinctement, la flamme a commencé à pâlir, puis a disparu tout à fait. Une nuit plus dense l'a enveloppé de toutes parts, et il n'a pas compris tout de suite que le jour venait de poindre et que le sombre rideau qui l'enveloppait, c'était le nuage qui rampait autour du feu sur un large périmètre de terrain. Puis la fumée a recommencé à flotter, et, par une déchirure, il a vu des hommes venir à sa rencontre. Ils agitaient vigoureusement les bras pour lui faire signe de ne pas avancer davantage. Mais il n'y croyait pas. Un d'eux est monté sur le marchepied, lui a saisi le coude...

— Bravo, gars ! T'as gagné. Et les autres ?

*
* *

Sommeil. Sommeil de bête qui écrasait sous elle sa pensée, le monde, sa vie même. Des heures et des heures de sommeil massif, sans rêves, sans mouvements, pareil à la mort. Membres pesants lestés de plomb, englués de nuit. La fatigue ajoutait son poids à celui du dormeur, appliquait implacablement au drap chaque pouce carré de sa peau. De loin en loin, un soupir, un frissonnement de l'air à ses lèvres. Il retournait en hâte à l'anéantissement, le savourait, le dégustait, s'y vautrait.

La tente était dressée à trois kilomètres de l'endroit où les hommes de la Crude avaient bâti à la hâte une sorte de hangar pour y entreposer l'explosif. Le soleil qui la frappait verticalement la teintait d'ocre à l'intérieur. La chaleur y régnait, étouffante. De ses pales argentées, un ventilateur brassait l'air chaud. Sur la peau du dormeur coulaient tranquillement de petits ruisseaux de sueur.

*
* *

Tandis qu'une équipe procédait au déchargement du camion, trois péons indigènes creusaient nonchalamment une tombe pour Mihalescu.

— Deux mètres de profondeur ! grogna un

grand nègre en posant sa pioche d'un geste mécontent pour s'essuyer le front. Quand c'est pour un de nous, une poignée de sable leur suffit...

Il était là aussi, le Johnny. Pas encore allongé, encore tout en tas sous la bâche kaki qui lui avait été attribuée comme suaire. D'avoir cuit comme ça toute une nuit à la chaleur du moteur, cuit dans sa crasse, dans ses plis...

— Tu parles d'un steam-press.

Ainsi s'est exprimé, sur le compte du cadavre, le chef cuisinier, un Chinois qui, comme la plupart de ses congénères, a été blanchisseur dans le temps.

Petit à petit, péniblement, la fosse atteignait la profondeur prescrite. Le sort en était jeté ; Johnny Mihalescu, qui commençait à puer atrocement, ne serait pas la proie des zamuros, les oiseaux croque-morts, mais des vers, comme il l'eût été dans son pays.

Le soleil n'allait pas tarder à disparaître. Là-bas, sous la tente, enfin à l'abri des atroces surprises de la nitroglycérine, Gérard dormait toujours. Il n'assisterait pas aux obsèques de celui que, tout compte fait, il avait tué.

C'était prévu pour neuf heures. Dans sa baraque, le chef de chantier s'énervait parce qu'il ne retrouvait pas sa Bible. Elle n'était pas sur sa table, elle n'était pas sous ses chaussettes, dans le placard métallique... Mais où, diable ?... Non, ça, c'était tout de même un mot à éviter quand il s'agissait du Livre. Ah ! La voilà, dans l'armoire à pharmacie, derrière les boîtes de sulfamides. Laissant la porte se rabattre seule entre ses montants, Gerald Mc Jovenn sortit et se dirigea d'un pas vif vers le lieu de l'inhumation.

Encore une fois, l'incendie avait relayé le soleil au zénith. A cette heure, il était maître de la plaine et du monde visible pour la nuit entière. Son chuintement obstiné, puissant, emplissait le silence, laissant peu de place à la parole humaine.

Deux Yankees costauds étaient en train de s'affairer à tirer sur les membres de Johnny pour l'allonger dans une position plus convenable. Entre la rigidité cadavérique qui se prolongeait et la gangrène qui rendait les tissus fragiles, c'était là un sale boulot. Ils avaient toutes les peines du monde à retenir d'horribles blasphèmes. De temps en temps ils détournaient la tête pour avaler une bouffée d'air sain.

Le dos à l'incendie qui se tordait, jaillissant de terre à l'assaut du ciel, Mc Jovenn se mit à déchiffrer les Psaumes. Derrière lui, aux mains des fossoyeurs, des torches de paille arrosée de pétrole répandaient une lumière mouvante.

Il n'y avait pas de vent, mais parfois, sans raison, des bouffées de fumée plongeaient vers le sol et faisaient tousser les assistants.

— « Adonaï, chef de la Maison d'Israël, qui es apparu à Moïse dans le feu de flamme rouge, prends pitié de Ton serviteur, Seigneur, nous Te le demandons... »

Les hommes du pétrole étaient tous là, sauf ceux dont la présence restait indispensable à la surveillance du foyer. A chaque fin de phrase, les indigènes catholiques se signaient et murmuraient : « Amen », précipitamment.

« Hâte-toi de me secourir. O Dieu qui es mon salut. Mes iniquités sont comme des flots qui me tiennent submergé. Seigneur, ne me reprends pas dans Ta colère. »

Une torche vacilla et s'éteignit. Plus loin, dans la pénombre, quittant le cercle des assistants, un homme s'éloignait en toussant.

« Le Seigneur mène le juste par des voies droites. Montre-moi Tes voies, Dieu, et enseigne-moi Ta sagesse... »

Le chef de camp a refermé le Livre. Deux des péons ont planté leur torche en terre et commencé à jeter dans le trou de larges pelletées de sable, sans que retentît le bruit habituel, tellement sinistre, de pluie sur le bois : le Roumain a été inhumé sans cercueil, nu dans la toile.

Gerald Mc Jovenn s'est avancé au bord de la tombe pour un petit bout de prière personnelle.

— Seigneur qui as dit : les renards ont leur tanière, mais le Fils de l'Homme n'a pas une pierre où reposer sa tête, et qui durant les jours de ton passage parmi nous as souvent dormi sous des abris de toile ou de feuillage, accueille Ta créature dans le séjour de Tes élus. Nous T'en prions. Peut-être Johnny a-t-il vécu dans le péché et dans l'iniquité, personne de nous ne peut le dire. Mais il est mort en accomplissant sa tâche, en faisant ce qu'il avait à faire, et sûrement sans orgueil. Accueille-le, Seigneur, dans Ta maison.

— Accueille-le dans Ta maison, ont repris les Yankees.

***

— Et vous n'avez pas pu freiner à temps ?

— Il était sur le côté, je ne l'ai pas vu tomber. Et puis, j'étais si fatigué...

— Je vois.

Dans la baraque du chef de camp étaient assis, autour de trois verres, Mc Glovenn, le spécialiste envoyé par Dallas pour la mise en place des charges d'explosif, et Sturmer. Sturmer lavé, rasé, à l'aise dans les vêtements de rechange qu'il avait été chercher dans la cabine du camion déchargé, maintenant inoffensif ; Sturmer ne se reconnaissait plus, tant il se sentait bien.

Le whisky n'était pas du bourbon mais du scotch, du White Horse, du bon, pour Gérard, du moins : les Yankees buvaient du rye, ils aiment le goût de brillantine.

— Je vais faire mon rapport, reprit l'ingénieur. Il n'y a pas de question, du reste. Ses blessures en elles-mêmes n'étaient nullement graves. Il est mort de l'infection ; et ça, vous n'y êtes pour rien ; c'est ce que j'expliquerai. Vous avez dû en baver, hein ?

*
* *

Gérard ne commença à y croire que lorsque l'autre lui remit le reçu pour ses deux cents kilos de chargement.

— Attention. Ce papier vaut deux mille bucks : j'ai mis la part de votre copain avec. Mon rapport, ils ne le recevront au siège que dans huit jours. Alors, retenez bien ceci : Johnny Mihalescu est mort ici, en arrivant. Avant de mourir, il a demandé que sa prime vous soit versée, à vous. J'en ai parlé à mes adjoints, ils sont d'accord. La Crude est assez riche…

— Merci. Merci bien, dit Gérard.

Deux mille dollars. Juste le chiffre. Il ferma les yeux. Des images se mirent à danser sous ses paupières. Fini ! Plus de voyage ; fini le supplice ; finies la folie, la peur…

— Quand voulez-vous repartir ? Vous pouvez, si vous voulez, vous faire emmener par un chauffeur. Nous avons des hommes qui savent conduire, et qui seront trop contents de passer le week-end à

Las Piedras. Ça vous permettrait de vous reposer pour le voyage suivant...

Il n'y aurait pas de voyage suivant pour Sturmer, mais ça, il ne voyait pas la nécessité d'en tenir informé l'Américain. Celui-ci n'aurait eu qu'à regretter son geste.

— Je conduirai moi-même. Je finis mon verre et je repars.

Il était tôt, le soleil n'avait pas de force. Soixante heures auparavant, le camion rouge quittait le littoral pour entreprendre sa randonnée. Trois morts : Bimba, Luigi, Johnny, et le curé de Los Totumos qui, sans doute, ne valait guère mieux. Mais les pensées de Sturmer ne s'arrêtèrent pas à ce bilan brutal.

Il prit plaisir à se carrer dans les coussins, à claquer la portière, à démarrer d'un coup, d'un bond. Il bourra sur les vitesses, aborda sans ménagement l'entrée de la piste, à la porte du camp. Il tendit le bras vers ceux qui restaient derrière lui. Son geste d'adieu lui sembla dérisoire, moqueur. Dans le rétroviseur il vit le chef de camp qui lui répondait. Enfin, seul avec ses projets, avec tout ce qui l'attendait de joies d'avance savourées, il fonçait vers son avenir qui l'attendait au port de pêche, ancré au fond de la crique, se balançant au rythme des courtes vagues de la mer Caraïbe, bord sur bord.

Des cris lui venaient aux lèvres. Le moteur poussait son plain-chant de toute sa puissance et hurlait avec lui. Du fond du cœur, le vainqueur chantait. Ce retour était une course. On n'a pas tenu le cerceau entre les mains pendant toute sa vie pour exprimer sa joie autrement que par la vitesse. Et surtout d'avoir freiné son élan, retenu sa course aussi longtemps, pendant ce dernier voyage...

***

Gérard se laisse prendre à l'exaltation que lui procure sa propre adresse, sa virtuosité. Les épaules décollées de la banquette, sautillant aux cahots, il mène à gestes sobres. Au cadran l'aiguille monte. A quatre-vingts, les secousses s'atténuent, le camion ne roule plus, il vole. Deux petits coups de volant rapides, incisifs : l'adhérence au sol est encore suffisante. Quatre-vingt-dix, cent. Le moulin plafonne, ne module plus son cri, rugit de façon continue.

A cette allure-là, il n'y en a pas pour dix heures : cinq cents kilomètres, pas le temps de s'en apercevoir. Sturmer s'installe dans la vitesse. Des images, des idées plus précises se forment dans sa cervelle. Il va y en avoir, du boulot, en arrivant. Remettre la goélette en état. Arranger les choses pour le curé massacré, et sans lâcher un sou à la police. Se procurer un brevet de pilote long-courrier du pays. Procédons par ordre… Et d'avance, Gérard commence à vivre son retour. Pour la route qui lui reste à parcourir, il s'en remet au camion. La piste est droite. Cette espèce de seconde nature d'homme au volant lui permet de garder l'esprit libre.

***

Ce qu'il y a de bien, c'est qu'en entrant dans Las Piedras, il passera devant la porte du Corsario Negro. Ils seront tous là. Il y aura Linda. Un vague souvenir lui traverse l'esprit, celui de la femme de l'autre nuit. Mais il a cessé d'être bon public pour ces prestiges de mirage. Il n'y a plus grand'chose de commun entre le malheureux de l'autre nuit et le gagnant d'aujourd'hui.

« Dire que j'ai trompé Linda avec un fantôme... »

Il imagine la fureur, la crainte superstitieuse de l'Indienne, si elle savait. Ça le fait rire.

Oui. Il s'arrêtera un moment à la porte du Corsario et il dira...

Impossible d'imaginer davantage. Il arrive au camp de la Crude et descend de camion devant le pavillon de cette vieille brute d'O'B.

— *Hullo, guy ! Happy to see you again.*

Ça ne va pas loin non plus. Peut-être aussi qu'à force d'avoir pris garde à ne rien espérer... De toute façon, le voilà réduit à lutter contre l'ennui, contre l'impatience, en s'aidant seulement des incidents de la route. C'est maigre.

La plaine est plate comme une toile cirée. Il roule, maintenant, dos à l'incendie, il n'a même plus les tournoiements de la fumée pour le distraire. A l'horizon, le plateau s'arrête net au bord du ciel. Cette coupure nette indique lumineusement, indiscutablement que c'est là-bas que commence la mer.

Pas un arbre. Une végétation qui, à quelque distance, se confond avec le sol. Pas un moutonnement, rien. Les deux cylindres noirs du pipe-line courent le long du camion dans le même sens que lui.

— Ne vous pressez pas trop, lui a dit Mc Jovenn quand Gérard a pris congé de lui.

Rassure-toi, Mac, ce n'est pas pressé par le souci des intérêts de la Compagnie qu'il court ainsi ventre à terre, le gars Sturmer. Il a hâte pour lui-même, c'est tout.

***

Comme à l'aube qui a suivi la mort de Luigi et de Bimba, un vol de perroquets croise la route de Gérard, continuant en plein ciel une conversation criarde.

« Il m'en faudra un pour le bateau, qui vive dans le grand mât, songe-t-il. Pas un multicolore, pas un ara : ils sont idiots. Un de ceux-là. »

Le fait est qu'ils sont gentils et drôles, une fois apprivoisés. Intelligents et affectueux comme des chiens. Sturmer est à l'affût de tout ce qui peut le distraire. Il rit au souvenir de Bobby, un copain, expulsé du Venezuela pour avoir baptisé son perroquet : Bolivar.

— Ces mecs ! Prétentieux, susceptibles, odieux.

Mais maintenant, le voilà devenu un homme riche. Ses moindres mouvements d'humeur seront sacrés. Il pourra gifler le chef civil, profaner les vases sacrés et violer des enfants au berceau, personne n'osera rien dire.

— J'ai une faim !

Il s'arrête, fouille dans la musette que le cuisinier chinois a garnie à son intention. Il y a là de quoi restaurer un congrès de l'American Legion : boîtes de homard, de poulet, de saumon. Bière en boîte, whisky en boîte, mais du mauvais : du rye. Chewing-gum, chocolat, vegetable stew, espèce de ragoût de légumes dont il est impossible de discerner les éléments. Attention touchante, le Chinois, qui est un admirateur du courage triomphant, a ajouté un dessert de sa composition ; c'est un filet d'iguane — ils abondent dans ce coin-là — séché au soleil, confit dans du sucre et enrobé dans une sauce verte à reflets roses, pleine de filaments de caramel moisi. C'est exactement aussi indigeste, immangeable que la description, hélas ! Mais il n'y a que l'intention qui compte.

*
* *

De nouveau, le ronronnement du moteur se fait berceur. Heureusement, Gérard n'a pas beaucoup mangé, et n'a rien bu. De toute façon, à côté de ce qui s'est passé l'autre nuit, vaincre ce sommeil-là, c'est du sucre, du sucre et du velours.

Si saugrenu qu'il y paraisse, ce qui occupe le plus de place dans le paysage, maintenant, c'est le silence. Le silence massif, compact, présent. Un silence qui bouche tout. Quand une pompe paraît à l'horizon, sa silhouette de télégraphe Chappe bat la mesure pour rien. Son teuf-teuf paisible ne semble faire aucun bruit, mais s'amalgamer au silence de l'univers, qu'il ponctue à peine. Le camion l'avale, la dépasse. Le temps de dix tours de roues, elle cesse d'exister. La plaine recommence.

*
* *

Las Piedras, seize kilomètres. La dernière descente s'amorce ici. Vertige, voltige de la course de montagne. Coups de frein, d'embrayage, de volant. La masse du truck s'engage, penche, rétive, à contre-courant, vers l'extérieur du virage, perd l'adhérence, la retrouve, se rue vers la sortie de la courbe. Plus vite, nom de Dieu ! Plus vite ! On se prend dur à ce jeu-là. Plus vite la prochaine fois que celle-ci, plus sec le prochain tournant : c'est un jeu, bien sûr que c'est un jeu. La mort a desserré les dents, oubliée la soupe de mort, là-bas, au taladro. Reste, entre les mains de l'homme rendu confiant par sa récente victoire, une arme docile et précise, une sorte de carabine, de mitraillette à démolir de la route, à assaisonner les virages un à un.

Vertige, voltige, le jeu des pieds sur les pédales se fait sauvage, pour freiner, pour débrayer, pour relancer le moteur à plein régime au passage du point mort, pour repartir. C'est à coups de paume, à coups de poing que le levier de vitesses vole de logement en logement, poussé, jeté au fond de son enclenchement à chaque entrée de courbe, à chaque sortie.

Les pneus, le différentiel se plaignent, gémissent, crient, hurlent. Les cent, les deux cents chevaux gueulent à l'unisson. Entre les doigts serrés de Gérard le volant se fait docile, vivant, intelligent.

Le panneau de signalisation qui annonce les épingles de changement de versant, juste à mi-pente. Là, ça devient sérieux. Ceux-là ne se laisseront pas enlever à l'arraché. Frein. Frein, nom de Dieu ! La pédale n'obéit pas, ne résiste pas non plus : elle s'enfonce à vide.

Il accroche au vol le frein à main. Naturellement, ça ne suffira pas. Mais peut-être est-il encore temps de ralentir au moteur, de redescendre les vitesses. Cessant de pomper le frein à pied, Sturmer décroche la cinquième, emballe son moulin d'un coup d'accélérateur furieux, désespéré. La quatrième est passée et, au cadran, l'aiguille est d'un seul coup ramenée au chiffre soixante. Le châssis, les ressorts, la caisse même geignent sous la secousse, à courts grognements mêlés des petits cris suraigus d'un pneu qui, à l'arrière, doit frotter contre quelque bout de bois ou de fer arraché au châssis. Il reste trente mètres pour réduire encore la vitesse de moitié, au moins.

Un nouveau coup d'accélérateur arrache au moteur un hurlement de cyclone. La troisième s'engage. La barrière est tout près maintenant.

Gérard relève le pied qui tenait l'embrayage. Une autre secousse ; mais celle-ci faible, atténuée, molle, et un claquement clair au milieu du vacarme : un cardan vient de sauter à la transmission. Le camion s'échappe en roue libre.

Tu as beau t'accrocher au volant, Sturmer. Tu as beau t'obstiner, essayer encore ; te lancer obliquement contre la paroi pour y freiner ton élan. Ton effort n'est plus utile ; il n'aura servi qu'au pétrole. Quant à toi, tu avais gagné ; seulement, c'est le croupier qui a triché.

Il y a un fossé pour l'écoulement des eaux, qui borde le roc. Une roue s'y engage. A vitesse pourtant réduite — mais c'est encore trop — le camion pivote comme une toupie autour du train avant. Et c'est en arrière qu'il rebondit, arrachant la barrière blanche ; en arrière qu'il plonge dans le ravin. Il tournoie, se disloque pendant la chute, perdant des pièces avant l'écrasement final, des morceaux de fer qui l'accompagnent de leur pluie. Victime de son acharnement même — son acharnement à vivre — Sturmer est resté cramponné au volant.

Achevé d'imprimer en juillet 1988
sur les presses de l'Imprimerie Bussière
à Saint-Amand (Cher)

PRESSES POCKET - 8, rue Garancière - 75285 Paris
Tél. : 46-34-12-80

— N° d'édit. 2128. — N° d'imp. 5094. —
Dépôt légal : novembre 1984.

Imprimé en France

JACQUES LANZMANN

LE RAT D'AMÉRIQUE

Venu chercher fortune en Amérique latine, Georges, peintre de son état, ira de désillusion en désillusion.

Au Paraguay, il ne trouve pas de travail mais tombe sur une bande d'anciens fascistes ; en Argentine, il connaît avec un ami de rencontre l'enfer du jeu et le supplice de la faim ; au Chili, enfin, il doit travailler dans une mine de cuivre à 4500 m d'altitude — un cauchemar qu'il lui faut vivre pour payer son billet de retour en France. « Un livre haletant, a écrit Claude Roy, un récit plein de cris et de fureur. » On évoqua en son temps à propos du *Rat d'Amérique* des auteurs aussi différents que Kafka ou Céline. On découvrira ces pages haletantes qui ne connaissent ni morale ni retenue.

Il n'est pas si fréquent qu'un écrivain vous regarde aussi droit dans les yeux et dans le cœur.

JEAN HOUGRON

LES PORTES DE L'AVENTURE

Il y a des routes en Indochine. Qui les construit ?

Des acharnés comme Legras, *l'Homme du kilomètre 53,* qui dispute chaque mètre de terrain aux intempéries, aux éléphants et aux Viets. Une vie pénible et, à la fin, la retraite.

Henry Lafitte s'est débrouillé autrement, et c'est encore jeune et déjà riche qu'il revient épouser Françoise. Mais il n'est pas de l'étoffe dont on fait les bourgeois de province. C'est l'amère conclusion de *Retour.*

S'il fallait en croire le vieux Quang, le métis Fremont s'était emparé du trésor des Hoa-Binh après avoir tué le chef de la Grande Pagode. Or Fremont vivote en plein cœur du Laos, la conscience visiblement tranquille. Fausse, cette histoire de Quang ? A demi — et Fremont raconte l'histoire véridique de l'expédition dans l'île de *Poulo-Condor.*

On retrouve dans les trois nouvelles des *Portes de l'aventure* les thèmes et la maîtrise de Jean Hougron, sa façon de prendre sur le vif le drame de ses personnages.

PIERRE BOULLE

LE PONT DE LA RIVIÈRE KWAI

Pendant la Seconde Guerre mondiale, au cœur de la jungle thaïlandaise, les Japonais ont mis au travail des milliers de prisonniers anglais pour construire la voie ferrée Bangkok-Rangoon.

Vivant symbole de la tradition britannique, le colonel Nicholson oppose aux injonctions et aux sévices de ses geôliers une résistance stoïque, jusqu'au jour où ceux-ci consentent à respecter les conventions internationales sur les prisonniers de guerre. Il met alors à leur service ses talents de bâtisseur et de meneur d'hommes pour l'édification d'un ouvrage d'art d'une importance stratégique capitale sur la rivière Kwaï.

Mais les services spéciaux britanniques ont décidé de tout mettre en œuvre pour faire obstacle à ce projet.

La veille de l'inauguration de la voie ferrée, un commando de sabotage est parachuté à proximité du pont.

Qui sortira vainqueur de cette lutte où l'idéal humain du « travail bien fait » s'oppose au patriotisme ?

Roman d'aventure, conte philosophique, cette œuvre d'une rare vérité est l'un des « classiques » de notre temps. Elle a inspiré l'un des plus grands succès du cinéma.

PIERRE BOULLE

L'ÉPREUVE DES HOMMES BLANCS

Dans un îlot de l'archipel malais, une petite Européenne, Marie-Helen, échappe par miracle à un massacre lors de l'invasion du sud-est asiatique par les Japonais.

Comme Mowgli, adopté par les bêtes dans la jungle, Marie-Helen est recueillie par les pêcheurs malais d'un kampong. Elle grandit parmi eux, libre et insouciante, s'adaptant parfaitement à leur vie, à leur monde, oubliant son éducation et ses préjugés de petite fille blanche. Un jeune garçon, Moktuy, l'aime et, lorsqu'à la fin de la guerre, on veut la livrer à ceux de sa race, elle plaide elle-même sa cause et épouse son compagnon de jeux. Mais les hommes blancs arrivent et l'arrachent à son mari, à sa vie heureuse, pour la ramener en France. Là, un autre péril la menace. Elle a déjoué toutes les embûches du destin, mais « l'épreuve des hommes blancs » est l'ultime obstacle contre lequel vient s'écraser sa jeunesse.

Cette histoire prend sa source dans un événement réel. L'auteur du *Pont de la rivière Kwaï* et du *Sacrilège malais,* qui connaît parfaitement le cadre dans lequel elle se déroule, a su en faire un roman original et amer.